DEUTSCH ALS FREMDSPRACHE   NIVEAUSTUFE **A2/2**

TANGRAM *aktuell* 2

Lektion 5–8

► ## Glossar XXL

German–English Glossary
Grammar summary
Communication

Hueber Verlag

Beratung:
Ina Alke, Roland Fischer, Franziska Fuchs, Helga Heinicke-Krabbe,
Dieter Maenner, Gary McAllen, Angelika Wohlleben

Phonetische Beratung:
Evelyn Frey

Mitarbeit an der Tangram aktuell-Bearbeitung:
Anja Schümann

Beratung für die Tangram aktuell-Bearbeitung:
Axel Grimpe, Goethe-Institut Tokyo
Andreas Werle, Goethe-Institut Madrid

Übersetzung:
Alan G. Jones

Unser besonderer Dank gilt dem MGB, Koordinationsstelle der Migros Klubschulen, Zürich, Schweiz
für die freundliche Überlassung einzelner Teile aus Lingua 21, der Klubschuladaption von Tangram,
insbesondere von Inhalten aus dem Referenzbuch.

Quellenverzeichnis:
Seite 51   Fotos: Werner Bönzli, Reichertshausen

Umschlagfoto und S. 3, 5, 29 und 61:
Arts & Crafts, Dieter Reichler, München

4.   3.   2.   1. | Die letzten Ziffern
2011   10   09   08   07 | bezeichnen Zahl und Jahr des Druckes.
Alle Drucke dieser Auflage können, da unverändert,
nebeneinander benutzt werden.
1. Auflage
© 2007 Hueber Verlag, 85737 Ismaning, Deutschland
Zeichnungen: LYONN cartoons comics illustration, Köln
Verlagsredaktion: Annette Albrecht, Hueber Verlag, Ismaning
Herstellung: Astrid Hansen, Hueber Verlag, Ismaning
Druck und Bindung: Ludwig Auer GmbH, Donauwörth
Printed in Germany
ISBN 978-3-19-241817-4

Contents

German–English Glossary

Kursbuch

Lektion 5

Seite 1

Gewohnte Verhältnisse? *accustomed circumstances*
  (pun on "wohnen")
  gewohnt *accustomed, usual*
  Verhältnis das, -se *circumstance, situation*
Wohnstil der, -e *living style*
auf Deutsch *in German*
zentral *in the (city) centre*
im Grünen *in the country*
viel Platz *a lot of space*
Haustier das, -e *pet*
anonym *anonymously*
in der Nähe *nearby*
Höflichkeitsform die, -en *2nd person formal*
ich würde *I would*
würde (→ werden) *would*
auf dem Land *in the country*
  Land das (singular) *country*
Natur die (singular) *nature*
Sehnsucht die, ˉe *longing*
sich sehnen + nach DATIVE *to long for*
Häuschen das, - *cottage*
... was ich beim Baden grad gedichtet, *... what I have just*
  composed in the bath
  baden, du badest, sie/er/es badet *to take a bath*
  grad = gerade *just*
  dichten + ACCUSATIVE du dichtest, sie/er/es dichtet
  to compose
... und im WC würd' dann das Machwerk von mir gleich
  hinterrücks vernichtet. *... and in the WC the sorry little*
  effort would be destroyed behind my back.
  WC das, -s *WC*
  Machwerk das, -e *sorry effort*
  hinterrücks *behind my back*
  vernichten + ACCUSATIVE du vernichtest, sie/er/es
  vernichtet *to destroy*

Seite 2

die Selbstauskunft, ˉe *information about ourselves*
Immobilie die, -n *property, real estate*
Geburtsdatum das, Geburtsdaten *date of birth*
  Datum das (singular) *date*
Anschrift die, -en *address*
beschäftigt seit: ... *employed since/for ...*
  beschäftigt *employed*
Arbeitgeber der, - *employer*
monatl. Einkommen *monthly income*
  monatl. = monatlich *monthly*
Miete (inkl. NK) z. Zt. € ... *rent (including services)*
  currently ... €

Miete die, -n *rent*
incl. = inkl. = inklusive *including*
ich würde *I would*
  z. Zt. = zurzeit *currently*
Musikinstrument das, -e *musical instrument*
Ich bin an der ...-Zimmer-Wohnung / dem Reihenhaus
  in Frankfurt-Sachsenhausen interessiert. *I am*
  interested in the ...-room flat / the terraced house in
  Sachsenhausen.
  Reihenhaus das, ˉer *terraced house*
  interessiert sein + an DATIVE *to be interested in*
Mietbeginn ab ... *rental period to start on ...*
  Mietbeginn der (singular) *rental start*
Dauer des Mietverhältnisses bis *duration of tenancy till*
  Dauer die (singular) *duration*
  Mietverhältnis das, -se *tenancy*
unbegrenzt *unlimited*
Unterschrift die, -en *signature*
was für ein *what sort of*
welch- *which*
vermieten + ACCUSATIVE + an ACCUSATIVE du vermietest,
  sie/er/es vermietet *to let*
Welche Fragen stellen Sie den Interessenten?
  What do you ask enquirers?
  Interessent der, -en *interested party*
gemütl. = gemütlich *cosy*
gelegen *located*
U-Bahn die, -en *underground (Brit) subway (US)*

Seite 3

Familienstand, Anzahl der Kinder *marital status, number*
  of children
Anzahl die (singular) *number*
Berufliche Tätigkeit: Werbekauffrau bei Firma Ratschi &
  Ratschi *Occupation: advertising executive at Ratschi &*
  Ratschi
  beruflich *occupational*
  Tätigkeit die, -en *activity*
  Werbekauffrau die, -en *advertising executive*
Monatseinkommen das, - *monthly income*
Kater der, - *tom-cat*
In die Wohnung werden ... Personen einziehen
  ... people will move into the accommodation
  einziehen + DIRECTION zog ein, ist eingezogen
  to move in
Objekt das, -e *property*
Die Kaution beträgt drei Monatsmieten, die
  Vermittlungsprovision zwei Monatsmieten.
  Deposit: 3 months' rent. Arrangement fee: 2 months' rent.
  Kaution die, -en *deposit*
  betragen + ACCUSATIVE du beträgst, sie/er/es beträgt
  to amount to
  Monatsmiete die, -n *month's rent*
  Vermittlungsprovision die, -en *arrangement fee*
Mietvertrag der, ˉe *tenancy agreement*
Wohnung dringend gesucht! *Urgently needed: a flat*
  dringend *urgent*
sich interessieren + für ACCUSATIVE *to be interested + in*

3-ZKB = 3-Zimmer-Wohnung mit Küche und Bad
  3 rooms, kitchen and bathroom
AB = Altbau der, -ten *pre-war*
ca. = circa *approximately*
ruh. = ruhig *quiet*
Ehepaar das, -e *married couple*
o. Kind = ohne Kind *without children*
Umzüge mit Schreiber *Schreiber Removals*
  Umzug der, ⁼e *move*
3 Mann / Lkw pro Stunde € 75,40 *3 men, one van*
  € 75,40 per hour
  Lkw der, -s (= Lastkraftwagen der, -) *van, lorry*
  pro *per*
Nachmieter: Fechenheim: 3-ZKB, 65 m², 1.5., 550,- + NK
  / Kt., EG und trotzdem hell! *New tenant required in*
  Fechenheim. 3 rooms, kitchen, bathroom, 65 sq.m.,
  available from 1st May, 550 euros plus bills and deposit.
  Ground floor but still light and airy!
  Nachmieter der, - *follow-on tenant*
  trotzdem *nevertheless*
WG geeig. *Would suit sharing group.*
  WG die, -s (= Wohngemeinschaft die, -en)
  group of friends sharing
  geeig. = geeignet *suitable*
Westend, helle 3-ZKB, 106 m², G-WC, NB, 10 Min. z.
  City ... *West End, light 3-rooms, kitchen, bathroom and*
  balcony, 106 sq.m., guest toilet, post-war building, 10
  minutes to city
  City die, -s *business quarter (Frankfurt)*
Großwohnung die, -en *large flat*
Hobbyraum der, ⁼e *workroom*
Parkett das (singular) *parquet floor*
GID Immob. GmbH *GID Properties PLC*
Immob. = Immobilien *property*
GmbH die, -s (= Gesellschaft mit beschränkter Haftung)
  limited company
Uni-Nähe die (singular) *university area*
Ffm-Kalbach, Fachwerkh. 85 m², 3 Zi,. Bad, EBK, Terr.,
  v. Priv. ab 1.9. f. 650,- + NK. *Frankfurt-Kalbach,*
  half-timbered house, 85 m², 3 rooms, bathroom,
  built-in kitchen, terrace, private letting, available from
  1 Sep, 650 euros plus bills.
  Fachwerkh. = Fachwerkhaus das, ⁼er *half-timbered*
  house
  EBK = Einbauküche die, -n *built-in kitchen*
  Terr. = Terrasse die, -n *terrace*
  priv. = privat *private*
Dreimal umziehen ist wie einmal abbrennen.
  Moving house three times is like being burnt down once.
  umziehen, zog um, ist umgezogen *to move*
  abbrennen, brannte ab, ist abgebrannt *to burn down*
Erfinder der, - *inventor*
Blitzableiter der, - *lightning conductor*

Seite 4

Vermieter der, - *landlord*
Maklerin die, -nen *lettings agent (female)*
Mieter der, - *tenant*

älter *older*
ab sof. = ab sofort *immediately available (vacant*
  possession)
Vermieterin die, -nen *landlady*
Alles andere ist Ihnen egal. *Nothing else matters*
  alles andere *everything else*
Inserat das, -e *small ad*
Rufen Sie an, fragen Sie alles für Sie Wichtige und
  vereinbaren Sie einen Besichtigungstermin.
  Ring up, ask whatever you regard as important and
  arrange a viewing appointment.
  vereinbaren + ACCUSATIVE + mit DATIVE *to agree*
  Besichtigungstermin der, -e *appointment to view*
Sie sind ein Ehepaar aus ..., beide in Rente, und leben
  seit zwölf Jahren in Deutschland. *You are a married*
  couple from..., both pensioners and living in Germany
  for twelve years.
  Rente die, -n *pension*
Hausmusik die (singular) *live music at home*
sich informieren + über ACCUSATIVE
  to find out the details (lit. to inform oneself)
informieren + ACCUSATIVE *to inform*

Seite 5

Der Ton macht die Musik *It's not what you say,*
  it's the way that you say it.
Wohnungssuche-Rap der, -s *Househunting-Rap*
Andre lesen so zum Spaß *Others read for fun*
  andre = andere *others*
eigen sein *to be different*
... andre rufen Freunde an *... others phone their friends*
... ich hab' nur noch Makler dran *I only have agents on*
  the line
  Makler der, - *agent*
  dran haben = am Telefon haben *to have on the*
  (phone) line
  dran = daran *on it*
Ich such' ne Wohnung und tu' alles nur noch zur
  Lösung dieses Falles. *I'm looking for somewhere to*
  live and everything I do is to solve this problem.
  alles tun *to do everything*
  nur noch *only*
entdecken + ACCUSATIVE *to find out*
checken + ACCUSATIVE *to check*
Schon weg! *Gone!*
Es fällt mir immer schwerer, diesen Spruch zu glauben.
  I find it ever harder to believe these words.
  Spruch der, ⁼e *saying*
Schlaf der (singular) *sleep*
rauben + DATIVE *to rob*
Ich sag's jetzt mit Betonung *I'm saying it loud and clear*
  Betonung die, -en *emphasis*
Ich will endlich eine Wohnung! *I want a flat (at last)!*
Es muss ja gar kein Schloss sein *It needn't be a castle*
  gar *at all*
Villa die, Villen *villa*
wär' = wäre *would be*
Esszimmer das, - *dining room*

Was soll das? *What's the point?*
reichen + DATIVE *to suffice, to be enough*
'ne = eine *a*
Kochnische die, -n *kitchenette*
Citylage die, -n *city centre Location*
Stadtrand der, -er *outskirts*
schon immer *always*
hoch hinaus wollen *to be ambitious, to want to get on*
genial *brilliantly*
neutral *neutral*
absolut *absolute*
Hit der, -s *hit*
Outfit das, -s *outfit*
Look der, -s *look*
Hut der, -e *hat*
Eindruck machen *to make an impression*
fest angestellt sein *to have a steady job*
ausgenommen *apart from*
auskommen + mit DATIVE kam aus, ist ausgekommen
  to make do, to make ends meet

Seite 6

Wohnwelt die, -en *living environment*
Werbeberater der, - *advertising consultant*
Quadratmeter der oder das, - *square metre*
Holzfußboden der, - *wooden floor*
Stuck der (singular) *stucco, moulding*
Balkon der, -e *balcony*
Mitbewohner der, - *flatmate*
Katze die, -n *cat*
Putzfrau die, -en *cleaning lady*
Luxuswohnung am Hamburger Alsterufer.
  luxury flat on the banks of the Alster in Hamburg
  Hamburger *Hamburg (adjective)*
maßgefertigt *made-to-measure*
altrosa *old rose*
lackiert *painted*
Wand die, -e *wall*
Marmorkamin der, -e *marble fireplace*
Wintergarten der, - *conservatory*
Gemälde das, - *picture*
Haushaltshilfe die, -n *home help*
alle zwei Tage *every other day*
Wohnungseinrichtung die, -en *furnishings*
nüchtern *sober, plain*
Genitiv bei Namen *genitive in proper names*
  Genitiv der, -e *genitive*

Seite 7

Hutdesignerin die, -nen *hat designer (female)*
Neubauwohnung die, -en *post-war flat*
Kaufhaus-Sofa das, -s *department store couch*
Lattenrost der, -e *slatted frame/base*
Matratze die, -n *mattress*
einmal die Woche *once a week*
Optikerin die, -nen *optician (female)*

Schrankwand die, -e *fitted cupboards*
Aquarium das, Aquarien *aquarium*
Hund der, -e *dog*
Eigenheim das, -e *owner-occupied house*
Garten der, - *garden*
Deich der, -e *dyke*
Gummibaum der, -e *rubber plant*
Seefahrer-Andenken das, - *sailor's momento*
Eigentumswohnung die, -en *owner-occupied flat*
Außenbezirk der, -e *suburb*
Glastisch der, -e *glass-topped table*
Dazu ein Schrebergarten, wenige Fußminuten von der
  Wohnung entfernt. *And an allotment only a few
  minutes' walk from the flat.*
  Schrebergarten der, - *allotment*
  Fußminute die, -n *minute on foot*
  entfernt *distant*
zusammengehören *to belong together*
Die beiden Frauen sehen sich sehr ähnlich.
  The two women look very similar.
  sich ähnlich sehen *to look similar*
überhaupt nicht *not at all*

Seite 8

Werbekaufmann der, -kaufleute *advertising salesman*
Die Welt, in der ich lebe, ist meinen Eltern fremd.
  The world I live in is alien to my parents.
  Welt die, -en *world*
Werbeagentur die, -en *advertising agency*
verwalten + ACCUSATIVE du verwaltest, sie/er/es
  verwaltet *to administer*
Millionenbudget das, -s *budget of millions of Euros*
... es ist für mich ganz normal, zum Essen mal eben
  schnell ins Restaurant zu gehen ... *it is quite normal
  for me simply to pop into a restaurant for a meal*
  ganz normal *quite normal*
  zum Essen *for a meal*
  mal eben *simply*
Genau diese Großzügigkeit brauche ich auch privat.
  I need just the same generosity in my private life.
  Großzügigkeit die (singular) *generosity*
Raum der, -e *room*
dafür *for this*
im Monat *per month*
ganz anders *quite differently*
außerhalb *outside*
Holztisch der, -e *wooden table*
Nicht gerade mein Geschmack. *Not exactly my taste.*
  Geschmack der (singular) *taste*
spießig *bourgeois*
Stil der, -e *style*
sich wohlfühlen + LOCATION *to feel at home*
bescheiden *modest*
konservativ *conservative*
Sie haben Angst, etwas Spontanes zu machen
  They are afraid of doing anything spontaneous
  etwas Spontanes *something spontaneous*

... sie denken über jede Investition zweimal nach. *... they think twice about any investment.*

Investition die, -en *investment*

Freude haben + an DATIVE *to take pleasure*

erfahren + ACCUSATIVE du erfährst, sie/er/es erfährt, erfuhr, hat erfahren *to experience*

höchstens *at most*

Rolf macht einmal im Monat das Fenster auf und wirft fast 1000 Euro hinaus. *Rolf opens the window once a month and throws out almost 1000 euros.*

aufmachen + ACCUSATIVE *to open*

einmal im Monat *once a month*

Fenster das, - *window*

hinauswerfen + ACCUSATIVE + aus DATIVE du wirfst hinaus, sie/er/es wirft hinaus, warf hinaus, hat hinausgeworfen *to throw out*

in der Stadt *in town*

koste es, was es wolle *cost what it may*

Wie will er denn später mit einer Rente seinen jetzigen Lebensstandard finanzieren? *How does he think he can afford his present standard of living later on with a pension?*

finanzieren + ACCUSATIVE *to finance*

Und im hohen Alter noch mal umziehen zu müssen – das ist doch bitter. *And to have to move when you are older – that's tough.*

im hohen Alter *at an advanced age*

bitter *tough, hard to take*

fürs = für das *for the*

zurücklegen + ACCUSATIVE *to put by*

Deshalb konnten wir uns auch damals eine Eigentumswohnung kaufen. *That's how we could afford to buy our own flat those years ago.*

konnten (→ können) *could*

damals *at that time*

ehrlich gesagt *to be truthful/honest*

schwer fallen + DATIVE + zu INFINITIVE es fällt schwer, fiel schwer, es ist schwer gefallen *to be difficult*

ganz andere- *quite different*

Lebensstandard der, -s *standard of living*

Er geht öfter in teure Lokale als wir zu Karstadt und verreist öfter mit dem Flugzeug, als wir mit der U-Bahn fahren. *He goes into expensive restaurants more often than we go to Karstadt (department store), and he flies more often than we take the underground.*

öfter *more often*

verreisen, du verreist, sie/er/es verreist *to travel*

solche- *such*

Unsere Wohnung ist schön ruhig, mitten im Grünen, und das Einkaufszentrum ist gleich um die Ecke. *Our flat is nice and quiet, plenty of greenery all around, and the shopping centre is just round the corner.*

mitten *in the middle*

Einkaufszentrum das, -zentren *shopping centre*

gleich um die Ecke *just round the corner*

Rolfs Wohnung finden wir von der Einrichtung her zu kalt. *We find the way Rolf has furnished his flat too cold.*

von ... her *from the point of view of*

Einrichtung die, -en *furnishings*

zu kalt *too cold*

schließlich *after all*

schnuckelig *snug*

Zweizimmerwohnung die, -en *two-room flat*

ausgeben + ACCUSATIVE du gibst aus, sie/er/es gibt aus, gab aus, hat ausgegeben *to spend*

Wozu soll ich viel Geld für Möbel ausgeben? *Why should I spend a lot on furniture?*

wozu *why*

Klar ist es toll, so wie sie zu wohnen – mit herrlichem Blick aufs Wasser und all das. *Obviously, it's great to live as they do, with a marvellous view of the water and all that.*

herrlich *marvellous*

Blick der, -e *view*

all das *all that*

steril *sterile*

superclean *superclean*

Wegen der Unordnung. *On account of the mess.*

wegen *because of*

Unordnung die (singular) *mess*

schrecklich *dreadful*

Früher war ich so verrückt, sauber zu machen, bevor sie zu Besuch gekommen sind. *I used to be so mad about cleaning up before they came to visit*

verrückt *mad*

sauber machen *to clean*

sauber *clean*

bevor *before*

zu Besuch kommen *to visit*

... aber inzwischen kommen sie fast nie mehr in meine Wohnung. *... but now they hardly come to my flat at all.*

inzwischen *meanwhile*

nie mehr *no longer*

sich verstehen + QUALITY + mit DATIVE *to get along*

so alle zehn Tage *every ten days or so*

aus dem Weg gehen + DATIVE *to avoid*

Seite 9

momentan *currently*

Oppositionstrip der (singular) *opposition trip*

noch nicht *not yet*

Laden der, - *shop*

sicherlich *certainly*

ein wenig *a little*

durcheinander *muddled*

akzeptieren + ACCUSATIVE *to accept*

Allerdings – wie kann man nur in so einem Chaos leben wie Birke? *On the other hand – how can anyone live in a chaos like Birke's?*

allerdings *however*

wie kann man nur *how on earth can one*

Für uns ist die Einrichtung der Wohnung Ausdruck von Ästhetik und Persönlichkeit. *For us the furnishing of a home is an expression of aesthetics and personality.*

Ästhetik die (singular) *aesthetics*

Persönlichkeit die, -en *personality*

Innenarchitekt der, -en *interior designer*

bitten + ACCUSATIVE du bittest, sie/er/es bittet, bat, hat
  gebeten *to ask*
nach unseren Wünschen *according to our wishes*
gestalten + ACCUSATIVE du gestaltest, sie/er/es gestaltet
  to fashion
fast alle *almost all*
maßgeschneidert *made-to-measure (lit. tailor-made as
  of clothes)*
Architekt der, -en *architect*
freie Hand lassen + DATIVE du lässt, sie/er/es lässt, ließ,
  hat gelassen *to give a free hand*
Für Birke hat eine Wohnung nicht diesen Stellenwert.
  For Birke a home isn't so important.
  Stellenwert der (singular) *importance*
schaffen + ACCUSATIVE *to create*
das Recht haben + zu INFINITIVE *to have the right*
sich einmischen + in ACCUSATIVE *to interfere*
wollte (→ wollen) *wanted*
von zu Hause *from home*
Wollte Schauspielerin werden, in die Stadt ziehen und
  richtig was losmachen. *Wanted to be an actress,
  live in the town and really get in on the action.*
  Schauspielerin die, -nen *actress*
  was losmachen *to make some action*
Für die Schauspielerei hatte ich zu wenig Talent, und
  ausgezogen bin ich erst mit 25. *I had too little talent
  for acting, and I didn't move out until I was 25.*
  Schauspielerei die (singular) *acting*
  zu wenig *too little*
  Talent das, -e *talent*
ein bisschen *a bit*
peinlich *embarrassing*
zu Hause *at home*
Pubertät die (singular) *puberty*
feststellen + DASS-CLAUSE *to discover*
richtig schön *really nice*
Außerdem war mein Vater oft auf See – so war
  wenigstens ich bei meiner Mutter. *What is more,
  my father spent a lot of time at sea, so at least my
  mother had me at home.*
  auf See *at sea*
  See die (singular) *sea*
  wenigstens *at least*
Dann fing ich eine Lehre in Lübeck an.
  Then I started an apprenticeship in Lübeck.
  fing an (→ anfangen) *started*
  Heimweh das (singular) *homesickness*
Kilometer der, - *kilometer*
entfernt *distant*
Mietwohnung die, -en *rented flat*
Es ist ein schönes Gefühl, so nah beisammen zu sein,
  falls mal irgendwas ist. *It's good to be so nearby in
  case anything happens.*
  Gefühl das, -e *feeling*
  nah *near*
  beisammen *together*
  falls *in case*
ungefähr *roughly, about*

zweimal die Woche *twice a week*
donnerstags *on Thursdays*
sonntags *on Sundays*
Ich glaube, sie finden unsere Wohnung ganz gemütlich
  und sind sehr gern hier. *I think they feel at home in our
  flat and like being here.*
  ganz gemütlich *quite cosy*
  sehr gern *very gladly*
kein Wunder *no wonder*
zum Beispiel *for example*
Wohnzimmertisch der, -e *dining-room table*
alte Sachen *old things*
Mit 15 oder 16 hatte Ute eine ganz wilde Phase.
  When she was 15 or 16 Ute went through a wild phase.
  wild *wild*
  Phase die, -n *phase*
Sie trug diese schwarzen Gammelklamotten und war
  mit komischen Jungs zusammen. *She wore tatty black
  clothes and went round with a strange group of lads.*
  trug (→ tragen) *wore*
  Gammelklamotten die (plural) *tatty clothes*
  Jungs die (plural) *lads*
Dorf das, ¨er *village*
öde *empty*
spannend *exciting*
wirklich nicht *really not*
erlauben + DATIVE *allow*
ziehen + DIRECTION zog, ist gezogen *to move*
irgendein *some sort of*
unter einem Dach *under one roof*
zusammenleben *to live together*
Inzwischen ist Ute ruhiger und vernünftiger geworden,
  sie hat sich wohl genug ausgetobt.
  *Meanwhile Ute has got quieter and more reasonable,
  she has had enough of a fling.*
  vernünftig *reasonable*
  sich austoben *to have a fling*
froh *happy*
Wir sind halt Menschen vom Land und gehören hierher.
  You see, we are country folk and belong here.
  vom Land *from the country*
  gehören + LOCATION *to belong*
  hierher *here*
einrichten + ACCUSATIVE du richtest ein, sie/er/es richtet
  ein *to furnish*
Wir fühlen uns dort fast genauso wohl wie in unserem
  Haus. *We feel almost as much at home as in our own
  house.*
  sich wohl fühlen + LOCATION *to feel well*
„in" sein *to be "in"*
großzügig *generous*

Seite 10

Infinitiv mit zu *Infinitive with "zu"*
Infinitiv der, -e *Infinitive*
am Ende *at the end*
einig- *some*

Ergänzung die, -en *complement*
Verbstamm der, ⸚e *verb stem*
Tauschen Sie Ihre Listen mit anderen aus und
  befragen Sie sich gegenseitig *Swop your lists*
  with others and ask each other
  austauschen + ACCUSATIVE + mit + DATIV du tauschst
  aus, sie/er/es tauscht aus *to exchange*
befragen + ACCUSATIVE *to ask (+ person)*
gegenseitig *each other*

Seite 11

Ergänzen Sie die Sätze der Eltern oder der Kinder aus
  Ihrer eigenen Erfahrung. *Complete the statements by*
  the parents or the children based on your own experience.
betonen + ACCUSATIVE *to stress*

Seite 12

Grund der, ⸚e *reason*
Ursache die, -n *cause*
Folge die, -n *consequence*
Wirkung die, -en *effect*
trifft (→ treffen) *meets*
Gegengrund der, ⸚e *reason against*
unerwartet *unexpected*
Gegensatz der, ⸚e *opposite*
Widerspruch der, ⸚e *contradiction*
zusammenpassen + mit DATIVE du passt zusammen,
  sie/er/es passt zusammen *to go together*
sich verstehen + mit DATIVE verstand, hat verstanden
  to get on
um sich haben + ACCUSATIVE *to have around one*
Statussymbol das, -e *status symbol*
ausgehen ging aus, ist ausgegangen *to go out*
um die Ecke *round the corner*
  Ecke die, -n *corner*
... obwohl auf dem Land nicht viel los ist.
  ... although there is not much going on in the country.
  los sein *to be happening*
über zwei Stunden *more than two hours*
ungemütlich *not very cosy*

Seite 13

sich langweilen *to get bored*
Freiheiten die (plural) *freedom(s)*
selbstständig *independent*
Lebensstil der, -e *lifestyle*
Vorschriften machen *to make rules*
Vorschrift die, -en *rule*
verbieten + DATIVE + ACCUSATIVE du verbietest,
  sie/er/es verbietet, verbot, hat verboten *to forbid*
Nachbarschaft die (singular) *neighbourliness*
zu verkaufen *for sale*
Das wurde auch Zeit! *About time too!*

Seite 14

„würde-" + INFINITIV *would*
Studentenviertel das, - *student quarter*
ab wann *from when*

Lektion 6

Seite 15

Erinnerung die, -en *memory*
Kindheit die (singular) *childhood*
Baby-Alter das (singular) *babyhood*
Heirat die (singular) *marriage*
Reihenfolge die, -n *sequence*

Seite 16

Definition die, -en *definition*
Ausstellung die, -en *exhibition*
Goethe-Institut das, -e *Goethe Institute*
Internat das, -e *boarding school*
Reportage die, -n *report*
Seminar das, -e *seminar*
Verlag der, -e *publishing house*
Skulptur die, -en *sculpture*
Unterrichtsveranstaltung die, -en *teaching event*
Diskussion die, -en *discussion*
produzieren + ACCUSATIVE *to produce*
Kulturarbeit die (singular) *cultural work*
Sprachkurs der, -e *language course*
Bericht der, -e *report*
Fotograf der, -en *photographer*
Sänger der, - *singer*
Autor der, -en *author*
Seminarleiter der, - *seminar leader*
Hotelmanager der, - *hotel manager*
Lehrer der, - *teacher*
Grafiker der, - *graphic artist*
Aufenthalt der, -e *residence*
Kontakt der, -e *contact*
Fotografie die, -n *photography*
Privatleben das (singular) *private life*
Kennen Sie Personen mit interessanten Lebenswegen?
  Do you know people who have had interesting lives?
  Lebensweg der, -e *life path*

Seite 17

Briefmarke die, -n *postage stamp*
abbilden + ACCUSATIVE + LOCATION du bildest ab,
  sie/er/es bildet ab *to represent, to portray*
Wofür waren sie berühmt? *What were they famous for?*
  wofür *for what*
  war (→ sein) *was*

Kurzbiografie die, -n *potted biography*
Konzentration die (singular) *concentration*
musikalische Ausbildung durch den Vater *trained in music by her father*
  musikalisch *musical*
Klavierlehrerin die, -nen *piano teacher (female)*
Tod der, -e *death*
Erziehung die (singular) *bringing up*
Geburt die, -en *birth*
erste eigene Kompositionen *first of her own compositions*
  Komposition die, -en *composition*
Wunderkind das, -er *child prodigy*
geboren *born*
Klavierpädagoge der, -n *piano teacher*
Einfluss der, ⁻e *influence*
Entwicklung die, -en *development*
begann (→ beginnen) *began*
Schon als kleines Kind bekam sie zu Hause Klavierunterricht, und mit neun Jahren gab sie ihr erstes Konzert im Leipziger Gewandhaus. *She began piano lessons at home as a small child, and at nine she gave her first concert in the Leipzig Gewandhaus.*
  Klavierunterricht der (singular) *piano lessons*
  mit neun Jahren *at the age of nine*
  gab (→ geben) *gave*
  ein Konzert geben *to give a concert*
komponieren + ACCUSATIVE *to compose*
Werk das, -e *work*
ging (→ gehen) *went*
auf Reisen gehen *to go on tour*
Konzertreise die, -n *concert tour*
Wille der (singular) *will*
Komponist der, -en *composer*
Als Ehefrau und Mutter von sieben Kindern blieb ihr nur noch wenig Zeit für ihre künstlerische Arbeit. *As a wife and mother of seven children she had little time left for her artistic work.*
  Ehefrau die, -en *wife*
  es bleibt wenig Zeit + DATIVE *there is little time left*
  bleiben, blieb, ist geblieben *to remain*
  künstlerisch *artistic*
sich konzentrieren + auf ACCUSATIVE *to concentrate*
Interpretin die, -nen *interpreter, performer (female)*
Musikpädagogin die, -nen *music teacher (female)*
alleine *alone*
Lebensunterhalt der (singular) *upkeep*
sorgen + für ACCUSATIVE *to take care + of*
im In- und Ausland *at home and abroad*
verbracht (→ verbringen) *spent*
verbringen + ACCUSATIVE + LOCATION verbrachte, hat verbracht *to spend*
neu gegründet *newly founded*
Konservatorium das, Konservatorien *conservatory*
starb (→ sterben) *died*
sterben, du stirbst, sie/er/es stirbt, starb, ist gestorben *to die*

Sie gilt als die bedeutendste Pianistin des 19. Jahrhunderts. *She is regarded as the 19th Century's leading woman pianist.*
  bedeutend *important*
  Pianistin die, -nen *pianist (female)*
  Jahrhundert das, -e *century*
Mischverb das, -en *mixed verb*
Präteritum-Signal das, -e *preterite indicator*
Mit Präteritum und Perfekt berichtet man über Vergangenes. *You use the preterite and perfect to talk about the past.*
  Vergangene das *that which has passed*
  vergehen, verging, ist vergangen *to pass, to fade away*
Märchen das, - *fairy tale, folk tale*
schriftlich *in writing*
Bericht der, -e *report*
Lebenslauf der, ⁻e *c. v.*
Konversation die (singular) *conversation*
mündlich *oral, spoken*
verändern + ACCUSATIVE *to change*
Stamm der, ⁻e *stem*

zusätzlich *additional*
Stammform die, -en *basic form*
Präsensform die, -en *present tense form*
zu Lebzeiten *in the lifetime*
Vorurteil das, -e *prejudice*
gegenüber *vis-à-vis*
auf Wunsch *to meet the wishes*
Brotberuf der, -e *proper job*
erlernen + ACCUSATIVE *to learn*
Dresdnerin die, -nen *woman from Dresden*
Berliner *Berlin (adjective)*
Kunstschule die, -n *art college*
Bremer *Bremen (adjective)*
Kunsthalle die, -n *art gallery*
Kritik die, -en *review*
Maler der, - *painter*
Künstlerdorf das, ⁻er *artists' village*
zurückgezogen *withdrawn*
Öffentlichkeit die (singular) *public*
erfinden + ACCUSATIVE du erfindest, sie/er/es erfindet, erfand, hat erfunden *to invent*
verwenden + ACCUSATIVE du verwendest, sie/er/es verwendet *to use*
plötzlich *suddenly*

Geräusch das, -e *sound*
Babygeschrei das (singular) *baby's cry*
Wind der, -e *wind*
Regen der (singular) *rain*
Verkehrslärm der (singular) *traffic noise*
Schritt der, -e *step*
Kirchenglocke die, -n *church bell*

Die Geräusche am Meer erinnern mich an ...
  Sea sounds remind me of ...
  erinnern + ACCUSATIVE + an ACCUSATIVE *to remind*
bestimmte *certain*
Geruch der, ˸e *smell*
Musikstück das, -e *piece of music*
Melodie die, -n *melody*
Wenn ich frischen Kaffee rieche, muss ich immer an
  meine Oma denken. *The smell of fresh coffee always
  makes me think of Grandma.*
  riechen + ACCUSATIVE / + nach DATIVE roch, hat
  gerochen *to smell*
  Oma (die), -s *Grandma*
Vergangenheit die (singular) *past*
menschlich *human*
Gedächtnis das (singular) ~~brain~~ *memory*

Seite 21

überfliegen + ACCUSATIVE überflog, hat überflogen
  to skim read
Vermutung die, -en *expectation*
Erinnerungen sind oft abhängig von der Stimmung,
  in der man gerade ist. *Memories often depend on the
  mood one is in.*
  abhängig sein + von DATIVE *dependent*
  Stimmung die, -en *mood*
positiv *positive*
Natürlich können wir nicht alles, was wir sehen, fühlen,
  riechen, schmecken oder hören, im Gedächtnis
  behalten. *Of course we cannot keep in our memory
  everything we see, feel, taste or hear*
  schmecken *to taste*
Unser Gehirn sortiert sofort. *Our brain sorts them at
  once.*
  Gehirn das, -e *brain*
sich merken + ACCUSATIVE *to notice*
verbunden (→ verbinden) *linked*
Rest der, -e *remainder*
draußen *outside*
Je tiefer diese Gefühle sind, umso intensiver und
  dauerhafter ist die Erinnerung. *The stronger these
  emotions, the more intensive and lasting the memory.*
  je ..., umso ... *the more ... the more ...*
  tief *deep*
  intensiv *intensive*
  dauerhaft *lasting*
Erfahrung die, -en *experience*
miteinander *with each other*
sinnlich *sensual*
Eindruck der, ˸e *impression*
Wenn so ein Geruch oder Geräusch irgendwann später
  wieder auftaucht, kommt auch die Erinnerung wieder.
  *If the same smell or noise recurs at some time or other,
  the memory also returns.*
  auftauchen *to surface*
Psychologen sind der Meinung, dass für die bewusste
  Erinnerung eine Vorstellung von der eigenen Person
  nötig ist, die man erst im Alter von etwa drei Jahren

entwickelt. *Psychologists believe that conscious memory
  requires a self-image which is only developed at about the
  age of three.*
  Psychologe der, -n *psychologist*
  der Meinung sein + DASS-CLAUSE *to be of the opinion*
  Meinung die, -en *opinion*
  nötig *necessary*
  entwickeln *to develop*
lebenswichtig *essential, vital*
Feuer das, - *fire*
Dummheit die, -en *act of stupidity*
letztlich *in the last resort*
entscheiden + ACCUSATIVE du entscheidest, sie/er/es
  entscheidet, entschied, hat entschieden *to decide*
Man kann sich hinter ihr verstecken, wenn man nicht
  in der Gegenwart leben will. *You can hide behind it if
  you don't want to live in the present.*
  sich verstecken + LOCATION *to hide*
  Gegenwart die (singular) *present*
Man kann aber auch aus ihr lernen und sie nutzen,
  um sich zu verändern. *But one can learn from it and
  use it to change oneself.*
  nutzen + ACCUSATIVE du nutzt, sie/er/es nutzt
    to make use of
  zuordnen + DATIVE + ACCUSATIVE du ordnest zu,
    sie/er/es ordnet zu *to allocate*
  Abschnitt der, -e *section*
  Neuanfang der, ˸e *new beginning*
  Einfluss haben + auf ACCUSATIVE *to influence*
  wachrufen + ACCUSATIVE rief wach, hat wachgerufen
    to call up

Seite 22

... mir der Duft von Apfelstrudel in die Nase steigt,
  passiert etwas Merkwürdiges. *... the scent of apple
  strudel reaches my nostrils, something remarkable happens.*
  Duft der, ˸e *scent*
  Apfelstrudel der, - *apple strudel*
  in die Nase steigen + DATIVE *to reach the nostrils
    (lit. to climb up into the nose)*
  merkwürdig *remarkable, strange*
entspannt *relaxed*
geborgen *secure*
duften + nach DATIVE du duftest, sie/er/es duftet
  to smell good
im ganzen Haus *all over the house*
kaum noch *hardly*
Wenn ich so an die Schulzeit denke, habe ich gar keine
  Gesichter mehr vor Augen. *When I think of my
  schooldays no faces spring to mind.*
  Schulzeit die (singular) *schooldays*
  denken + an ACCUSATIVE *to think of*
  vor Augen haben + ACCUSATIVE *to have before my eyes*
  Gesicht das, -er *face*
ansprach (→ ansprechen) *spoke to me*
rot werden *to blush*
Konjunktion die, -en *conjunction*
temporal *temporal*

Zustand der, ⸚e *state*
einmalig *single*
Hochzeit die, -en *wedding*
Kindergarten der, ⸚ *kindergarten*
politische Ereignisse *political events*
politisch *political*
Ich hatte mit meinen Geschwistern immer Streit,
wenn … *I always rowed with my brothers and sisters*
  when …
  Geschwister die (plural) *brothers and sisters, siblings*

Seite 23

Liedtext der, -e *lyrics*
Buntpapier das, -e *coloured paper*
Genuss der, ⸚e *enjoyment*
Kraft die, ⸚e *strength*
Stoß der, ⸚e *punch*
Generation die, -en *generation*
schien (→ scheinen) *appeared*
riesig *enormously*
schließen, du schließt, sie/er/es schließt, schloss,
  hat geschlossen *to close*
Schoß der, ⸚e *lap, womb*
Blatt das, ⸚er *sheet*
Ball der, ⸚e *ball*
Schiff das, -e *ship*
liebeleer *loveless*
… brennt uns Muster in die Haut
  … burns patterns in our skin
  brennen + ACCUSATIVE + DIRECTION brannte,
  hat gebrannt *to burn*
  Muster das, - *pattern*
Rätsel das, - *puzzle*
lösen + ACCUSATIVE du löst, sie/er/es löst *to solve*
nähren + ACCUSATIVE *to feed*
Baum der, ⸚e *tree*
loslassen + ACCUSATIVE du lässt los, sie/er/es lässt los,
  ließ los, hat losgelassen *to let go*
… und man bietet noch die Stirn jedem Schlag
  … and one stands up to every blow
  bieten + DATIVE *to offer*
  Stirn die, -en *forehead, brow*
  Schlag der, ⸚e *blow*
wehen *to blow (of wind)*
leicht *light*
treiben + ACCUSATIVE + DIRECTION trieb, hat getrieben
  to drive
Keil der, -e *wedge*
Man kann sterben, doch die Welt hat man mitgebaut.
  One may die, but one has helped build the world.
  mitbauen + ACCUSATIVE *to share in building*
Neben „Karat" und „City" sind die „Puhdys" –
  gegründet 1969 – bis heute eine der erfolgreichsten
  und bekanntesten Kultbands aus Ostdeutschland.
  Together with Karat and City, the Puhdys – founded 1969 –
  remain one of the most successful and best-known cult
  bands from East Germany.

gründen + ACCUSATIVE du gründest, sie/er/es gründet
  to found
erfolgreich *successful*
Kultband die, -s *cult band*
Band die, -s *band*
Ostdeutschland (das) *East Germany*
Der Text entstand nach der Musik.
  The lyrics were written after the music.
  entstand (→ entstehen) *came into being*
Für viele ist die Band aufgrund ihrer lebensnahen
  Themen und ihrer einfachen Sprache Ausdruck eines
  bestimmten Lebensgefühls. *For many (fans)*
  the band's true-to-life themes and simple language
  make it an expression of a particular attitude to life.
  aufgrund *on account of*
  lebensnah *true-to-life*
  Lebensgefühl das (singular) *attitude to life*
Spur die, -en *trace*
Falte die, -n *wrinkle*
Axt die, ⸚e *axe*
schaffen + ACCUSATIVE *to lay low*
fällen + ACCUSATIVE *to fell*
umschlagen + ACCUSATIVE du schlägst um, sie/er/es
  schlägt um, schlug um, hat umgeschlagen *to cut down*
Widerstand leisten, du leistest Widerstand, sie/er/es
  leistet Widerstand *to resist*
  Widerstand der, ⸚e *resistance*
veränderte/beeinflusste die Welt *changed/influenced*
  the world
  beeinflussen + ACCUSATIVE du beeinflusst,
  sie/er/es beeiflusst *to influence*

Seite 24

Regierende Bürgermeister der *Governing Mayor*
  Bürgermeister der, - *Mayor*
Ein Junge aus Ostberlin und ein Mädchen aus
  Westberlin lächeln sich freundlich an, zwischen ihnen
  die Mauer. *A boy from East Berlin and a girl from West*
  Berlin exchange friendly smiles. Between them the Wall.
  Ostberlin (das) *East Berlin*
  Westberlin (das) *West Berlin*
  Mauer die, -n *wall*
  anlächeln + ACCUSATIVE *to smile at*
Ein Wahlplakat der Berliner SPD aus dem Jahr 1988
  A Berlin SPD poster from 1988
  Wahlplakat das, -e *election poster*
  SPD die *SPD (Social Democratic Party)*
  Überschrift: „Berlin ist Freiheit". *Caption "Berlin*
  means Freedom".
  Freiheit die (singular) *freedom*
Die Botschaft: Die nächste Generation soll die
  Deutschen aus Ost und West wieder
  zusammenbringen. *Message: The next generation should*
  bring Germans from East and West together again.
  Botschaft die, -en *message*
  zusammenbringen + ACCUSATIVE du bringst zu-
  sammen, brachte zusammen, hat zusammengebracht
  to bring together

Manche Leute hatten kein Verständnis für so viel Fantasie, viele kritisierten das Plakat. *Many people could not go along with this much imagination, many criticised the poster.*
  manche *many*
  Verständnis haben für + ACCUSATIVE *to have sympathy for*
  Verständnis das (Singular) *understanding*
  kritisieren *to criticize*
  Plakat das, -e *poster*
Ein Leben ohne die Mauer war damals einfach unvorstellbar. *A life without the Wall was simply unimaginable.*
  unvorstellbar *unimaginable*
Fast 30 Jahre lang hatte sie Berlin in zwei Hälften geteilt. *For almost 30 years it had divided Berlin into two halves.*
  trennen + ACCUSATIVE *to divide*
  abschneiden + ACCUSATIVE du schneidest ab, sie/er/es schneidet ab, schnitt ab, hat abgeschnitten *to cut off*
Seit dem Bau der Mauer 1961 hatten die Deutschen auf diesen Tag gewartet, und plötzlich war er da. *Since the building of the Wall in 1961 the Germans had waited for this day, and suddenly it arrived.*
  Bau der (singular) *building*
Als man in der Nacht vom 9. zum 10. November 1989 die ersten Bilder von der Grenzöffnung im Fernsehen sehen konnte, … *By the time during the night of 9th to 10th November 1989 that one could see the first pictures of the border opening on televsion …*
  Grenzöffnung die (singular) *border opening*
  Tausende (plural) *thousands*
Grenzübergang der, ⁼e *crossing point*
Sie applaudierten, tranken Sekt und bewarfen Trabbis mit Blumen. *They cheered, drank champagne and threw flowers at Trabbis.*
  applaudieren *to applaud*
  tranken (→ trinken) *drank*
  bewarf (→ bewerfen) *showered*
  Trabbi der, -s *Trabant (East German car)*
  Blume die, -n *flower*
Viele Ost-Berliner weinten vor Freude, nachdem sie die Grenze überschritten hatten. *Many East Berliners wept for joy after they had crossed the border.*
  Ost-Berliner der, - *East Berliner*
  nachdem *after*
  Grenze die, -n *border*
  überschreiten + ACCUSATIVE du überschreitest, sie/er/es überschreitet, überschritt, hat überschritten *to cross*
  überschwemmen + ACCUSATIVE *to deluge*
Es war eine Stimmung wie auf einem Volksfest. *There was a carnival atmosphere.*
  Volksfest das, -e *funfair, carnival*
Diese Nacht war nicht zum Schlafen da. *This night was not made for sleeping.*
  da sein + für ACCUSATIVE / zu DATIVE *to be there*
sprach (→ sprechen) *spoke*

Viele waren wieder auf dem Heimweg, nachdem sie aus Neugier mitten in der Nacht schnell mal zum Ku'Damm gefahren waren. *Many were on their way back home, having out of sheer curiosity made a quick trip to the Ku'Damm in the middle of the night.*
  Heimweg der, -e *way home*
  West-Berliner der, - *West Berliner*
  Ostteil der, -e *Eastern part*
Wildfremde Menschen lagen sich in dieser Nacht jubelnd in den Armen. *That night total strangers lay rejoicing in each other's arms*
  wildfremd *totally strange*
  lag (→ liegen) *lay*
  sich in den Armen liegen *to lie in each other's arms*
  Slogan der, -s *slogan*
  Wirklichkeit die, -en *reality*
  Automarke die, -n *make of car*
  ehemalig *former*
  Einkaufsstraße die, -n *shopping street*
  rauschend *grand*

Seite 25

Plusquamperfekt das (singular) *pluperfect*
Nachrichten die (plural) *news*
erst mal ins Bett gehen *first go to bed*
  erst mal *first of all*
endlich im Westen sein *to be in the West at last*
Mauer-Fest das, -e *Wall party*

Seite 26

Beispielsatz der, ⁼e *model sentence*
Schriftsprache die, -n *written language*
gesprochene Sprache *spoken language*
Nominaler Ausdruck *noun phrase*
  nominal *noun*

Seite 27

Empfehlung die, -en *recommendation*
Am Anfang ging ich gar nicht gern hin, aber … *At first I didn't go, but …*
  hingehen ging hin, ist hingegangen *to go (there)*
nun *now*
kreativ *creative*
Entwicklungsprozess der, -e *development process*
Menschheit die (singular) *humanity*
beiwohnen + DATIVE *to witness*
nach all den Jahren *after all these years*
Legendenbildung die, -en *legend forming*

Seite 28

fuhr (→ fahren) *went*
Spaziergang der, ⁼e *walk*
köstlich *delicious*

Woran können Sie sich besonders gut erinnern?
What can you remember particularly well?
  woran (= an was) *to what*
Schultag der, -e *day at school*
Heimatdorf das, -er *home village*

Lektion 7

Seite 29

stilvoll *stylish*
eng *cramped, confined*
drin = darin *inside*

Seite 30

Beschreibung die, -en *description*
Hauptbahnhof der, -e *main station*
Bahnhof der, -e *station*
Cafés, Bistros und 140 Fachgeschäfte laden auf drei
  Ebenen zum Bummeln und Kaufen ein.
  *Cafes, bistros and 140 specialist shops on three
  levels invite the visitor to wander round and buy.*
  Bistro das, -s *bistro*
  Fachgeschäft das, -e *specialist shop*
  Ebene die, -n *level*
  bummeln *to stroll*
Gebäude das, - *building*
zurückblicken *to look back*
Lokomotive die, -n *locomotive*
Schutzheilige der, -n *patron saint*
Reisende die/der, -n (ein Reisender) *traveller*
Kaufleute die (plural) *merchants*
Orgel die, -n *organ*
montags *on Mondays*
Friedensgebet das, -e *prayers for peace*
Vereinigung die, -en *unification*
Staat der, -en *state*
fordern + ACCUSATIVE *to demand*
Musiker der, - *musician*
Bach-Museum *Bach Museum*
Museum das, Museen *museum*
Originalhandschrift die, -en *original manuscript*
historisch *historical*
Drama das, Dramen *drama*
die Szene spielt + LOCATION *the scene takes place*
Teufel der, - *devil*
Seele die, -n *soul*
Fähigkeit die, -en *capabilities*
Weinfass das, -er *wine barrel*
Pferd das, -e *horse*
übrigens *by the way*
teuflisch *devilishly*
Nach einem langen Spaziergang durch die Stadt mit
  vielen Sehenswürdigkeiten sehnt man sich nach
  Erholung und Erfrischung. *After a long walk through
  the city with many sights you long for rest and refreshment.*

Erholung die (singular) *relaxation*
Erfrischung die, -en *refreshment*
Dann ist das Stadtbad genau das Richtige!
  Then the city baths are just the place!
  Stadtbad das, -er *city baths*
Wellenbad das, -er *pool with wave machine*
Sauna die, -s *sauna*
Inneneinrichtung die, -en *interior design*
einen Besuch lohnen *to be worth a visit*
Die Halle erinnert an einen orientalischen
  Märchenpalast voller Luxus. *The hall reminds
  one of a luxury-filled oriental palace.*
  orientalisch *oriental*
  Märchenpalast der, -e *fairy tale palace*
  voller Luxus *luxury-filled*
Orchester das, - *orchestra*
Zuhause das, - *home*
bestehen + aus DATIVE bestand, hat bestanden
  to consist of
Saal der, Säle *hall*
1900 Zuhörer *an audience of 1900*
  Zuhörer der, - *listener*
Kammermusiksaal der, -säle *chamber music room*
Besucher der, - *visitor*
umfangreich *comprehensive*
klassisch *classical*
weltbekannt *world famous*
Die Leipziger Messe mit Kongresszentrum ist für
  deutsche und internationale Besucher attraktiv.
  *The Leipzig Fair is attractive as a congress centre for
  German and international visitors.*
  Messe die, -n *trade fair*
  Kongresszentrum das, -zentren *Congress centre*
Mode die, -n *fashion*
Die Modemesse, die Leipziger Buchmesse, die
  „EUROMED für Medizin und Pflege", die „Auto Mobil
  International" oder „Touristik und Caravaning" …
  *The Fashion Fair, the Leipzig Book Fair, the "EUROMED
  for Medicine and Care", the "Auto Mobile Internaional" or
  "Tourism and Caravaning" …*
  Medizin die (singular) *medicine*
  Pflege die (singular) *care*
  Buchmesse die, -n *book fair*
  Touristik die (singular) *tourism*
  Caravaning das (singular) *caravaning*
  Auswahl die (Singular) *selection*
Jahresprogramm das, -e *annual programme*
Nahe am Flughafen Leipzig-Halle, direkt an der
  Autobahn A 14 Halle-Dresden und mit guter
  Straßenbahnverbindung zur Innenstadt, ist die Lage
  der Messe ideal. *Near the Leipzig-Halle Airport,
  right on the A14 Halle-Dresden motorway and with
  good tram links to the city centre, the location of the
  trade fair complex is ideal.*
  nahe *near*
  Autobahn die, -en *motorway*
  Straßenbahnverbindung die, -en *tram/street-car link*
  Innenstadt die, -e *city centre*

Seite 31

Was würden Sie tun? *What would you do?*
 tun + ACCUSATIVE du tust, sie/er/es tut, tat, hat getan
 to do

Seite 32

willkommen *welcome*
garantieren + für ACCUSATIVE *to guarantee*
Empfang der, ⸚e *reception*
davon *of these*
Nichtraucherzimmer das, - *non-smoking room*
Dusche die, -n *shower*
Direktwahltelefon das, -e *direct dial telephone*
Weckdienst der, -e *alarm call*
Farb-TV das (singular) *colour TV*
 TV das (singular) *TV*
Kabel das, - *cable*
verfügen + über ACCUSATIVE *to have (at one's disposal)*
behindertenfreundlich *suitable for disabled people*
reichhaltig *extensive*
Frühstücksbuffet das, -s *breakfast buffet*
Feiertag der, -e *public holiday*
Frühaufsteher der, - *early riser*
Spätaufsteher der, - *late riser*
Wie wär's mit einem Drink oder einem kleinen Snack
 in unserer gemütlichen Hotelbar, die rund um die
 Uhr für Sie geöffnet ist? *How about a drink or snack
 in our cosy hotel bar, which is open for you 24 hours a
 day?*
 wie wär's mit ...? *how about ...?*
 wär's = wäre es *would it be*
Ausgangspunkt der, -e *starting point*
Geschäftsreise die, -n *business trip*
Freizeitreise die, -n *leisure trip*
kostenpflichtig *at extra cost*
Parkmöglichkeit die, -en *parking*
benachbart *adjoining*
öffentlich *public*
Parkhaus das, ⸚er *multi-storey car park*
preiswert *value for money*
Sparschwein das, -e *piggy bank*
Telefax das, -e *fax*
komfortabel *comfortable*
herzlich *warm (welcome)*
Zimmerpreis der, -e *room price*
Einzelzimmer das, - *single room*
Doppelzimmer das, - *double room*
Tiefgarage die, -n *underground garage*
Preisänderungen vorbehalten *We reserve the right
 to alter prices*
 Preisänderung die, -en *price change*
 vorbehalten *reserved*
MwSt. = Mehrwertsteuer die (singular)
 VAT (Value Added Tax)
Anreise die, -n *how to reach us*
Abfahrt die, -en *exit*
Richtung die, -en *direction*

Bahn die, -en *railway*
öffentliche Verkehrsmittel *public (local) transport*
 Verkehrsmittel das, - *means of transport*
Straßenbahn die, -en *tram / street car*
Nr. = Nummer die, -n *number*
Haltestelle die, -n *stop*
Businesszimmer das, - *business room*
Suite die, -n *suite*
Tiefgaragengebühr die, -en *charge for underground garage*
Freiparkplatz der, ⸚e *open-air parking*
kostenfrei *free*
Wochenendrate die, -n *weekend rate*
Übernachtungspreis der, -e *overnight rate*
beinhalten + ACCUSATIVE sie/er/es beinhaltet *to include*
Benutzung die (singular) *use*
Fitnessraum der, ⸚e *fitness centre*
gesetzl. = gesetzlich *statutory*
Bedienungsgeld das, -er *service*
Reservierung die, -en *reservations*
Reservation Service *reservation service*
 Service der (singular) *service*
Im Nordosten von Leipzig. *North-East Leipzig.*
Stadtteil der, -e *district*
Autobahnverbindung die, -en *motorway link*
Ausfahrt die, -en *exit*
verfügbar *available*
umweltfreundlich *environment friendly*
Ausstattung die (singular) *furnishing*
Kabelanschluss der, ⸚e *cable connection*
Pay-TV das (singular) *pay-TV*
Selbstwahltelefon das, -e *self-dial telephone*
Modem das, -s *modem*
Faxanschluss der, ⸚e *fax connection*
ISDN-Anschluss der, ⸚e *ISDN connection*
Bar die, -s *bar*
Bistrobar die, -s *bistro bar*
Konferenz die, -en *meeting*
Konferenzraum der, ⸚e *meeting room*
Tageslicht das (singular) *daylight*
voll klimatisiert *fully air conditioned*
 klimatisiert *air conditioned*
Medien die (plural) *media*
Kommunikationstechnik die, -en *communications
 technology*
parken + ACCUSATIVE + LOCATION *to park*
Tiefgaragenplatz der, ⸚e *underground garage space /
 parking lot*
Busparkplatz der, ⸚e *bus parking space*
Unterkunft die, ⸚e *accommodation*
übernachten + LOCATION du übernachtest,
 sie/er/es übernachtet *to stay*

Seite 33

eine erste Adresse *a first-class establishment*
bereits *already*
weit über *well over*
vorzüglich *excellent*
Gastlichkeit die (singular) *hospitality*

sich auszeichnen + durch ACCUSATIVE du zeichnest
   dich aus, sie/er/es zeichnet sich aus   *to distinguish*
   itself
Innenstadtring der, -e *inner ring road*
erholsam *restful*
parkähnlich *park-like*
Zoologische Garten der, ⸚ *zoo*
   zoologisch *zoological*
jeweils *each*
in wenigen Minuten *in a few minutes*
zu Fuß *on foot*
erreichbar *reachable*
fein *fine, excellent*
Grand Hotel das, -s *Grand Hotel*
Preisliste die, -n *price list*
Kategorie die, -n *category*
standard *standard*
deluxe *deluxe*
Wochenendpreis der, -e *weekend rate*
Gruppenpreis der, -e *group rate*
auf Anfrage *on request*
Anfrage die, -n *request*
gültig *valid*
Klimaanlage die, -n *air conditioning*
Safe der, -s *safe*
PC-Anschluss der, ⸚e *PC connection*
Minibar die, -s *mini bar*
Gastronomie die (singular) *catering*
Hofgarten der *courtyard garden*
Bankett das, -e *banqueting*
Fitness die (singular) *fitness*
Wellnessbereich der, -e *wellness suite*
Zugang der, ⸚e *pedestrian access*
DJH = Deutsche Jugendherberge *German Youth Hostels*
   Jugendherberge die, -n *youth hostel*
DJH-Landesverband der, ⸚e *regional branch of YHA*
e. V. = eingetragener Verein *registered association*
Standort der, -e *location*
Klein-Paris (das) *Little Paris (= Leipzig)*
Herbergsleiter der, - *hostel manager*
Mein Leipzig lob ich mir *I praise my Leipzig, I like*
   Leipzig
   loben + ACCUSATIVE *to praise*
Einzelgast der, ⸚e *single customer*
Tagung die, -en *conference*
Stadtzentrum das, -zentren *town centre*
Hbf. = Hauptbahnhof der, ⸚e *main station*
Straßenbahnlinie die, -n *tram line, street car line*
einbiegen + in ACCUSATIVE bog ein, ist eingebogen
   to turn
Raumangebot das (singular) *available accommodation*
Sanitärbereich der, -e *washroom*
sich befinden + LOCATION befand sich, hat sich
   befunden *to be located*
Etage die, -n *floor*
Leiter der, - *(group) leader*
Familienzimmer das, - *family room*
vorhanden *available*
Freizeitmöglichkeiten die (plural) *recreational*
   facilities

Tischtennis das (singular) *table tennis*
Sportraum der, ⸚e *games room*
Video das, -s *video*
Videokamera die, -s *video camera*
Diaprojektor der, -en *slide projector*
Dia das, -s *slide*
Tageslichtprojektor der, -en *overhead projector*
Leinwand die, ⸚e *screen*
Flipchart die, -s *flip chart*
Kartenservice der (singular) *ticket agency*
ÜF = Übernachtung mit Frühstück *bed and breakfast*
Voranmeldung die, -en *prior reservation*
Anreisetermin der, -e *arrival date*
telefonisch *by telephone*
Suche die (singular) *search*
Telefonanruf der, -e *telephone call*
wie lange *how long*
gewünscht *preferred*
Preisvorstellung die, -en *envisaged/preferred cost*
Anrufer der, - *caller*

Seite 34

Angabe die, -n *detail*
Zimmervermittlung die (singular) *accommodation*
   service
Ich brauche am kommenden ... ein ... in Leipzig.
   I need a ... in Leipzig for next ...
   kommend- *next (coming)*
Vollpension die (singular) *full board*
Halbpension die (singular) *half board*
Übernachtung die, -en *overnight stay*
ob *if, whether*
Swimming-Pool der, -s *swimming pool*
indirekt *indirect*
Indirekte Fragen klingen höflicher als direkte Fragen.
   Indirect questions sound more polite than direct
   questions.
   klingen, klang, hat geklungen *to sound*
doch einmal *just for once*

Seite 35

Fragewort das, ⸚er *interrogative, question word*
Fragezeichen das, - *question mark*
erwarten + DASS-CLAUSE du erwartest, sie/er/es erwartet
   to expect
Satzende das, -n *end of a sentence*
Schwimmbad das, ⸚er *swimming pool*
Erklärung die, -en *explanation*
Echofrage die, -n *echo question*
Gesprächspartner der, - *person you are talking to*
wahrscheinlich *probably*
zurückfragen *to check*
Zeit gewinnen *to gain time*
gewinnen + ACCUSATIVE gewann, hat gewonnen
   to gain
Zeitgewinn der (singular) *gaining time*
Sprecher der, - *speaker*

Rückfrage die, -n *check*
reagieren + auf ACCUSATIVE *to react*

Seite 36

Hier geht's lang! *It's this way!*
  es geht lang + LOCATION *the way is ...*
einzeichnen + ACCUSATIVE + LOCATION *du zeichnest ein,*
  sie/er/es zeichnet ein to mark
Stadtplan der, ⸚e *map*
Warum hat der Uhrmacher beim Uhrturm Stunden-
  zeiger und Minutenzeiger vertauscht?
  Why did the clockmaker swop round the hour and
  minute hands on the clock tower?
  Uhrmacher der, - *clockmaker*
  Uhrturm der, ⸚e *clocktower*
  Stundenzeiger der, - *hour hand*
  Minutenzeiger der, - *minute hand*
Warum kauft Anna das alte Bild mit dem dicken
  Goldrand nicht? *Why does Anna not buy the old picture*
  with the heavy gold frame?
  Goldrand der, ⸚er *gold frame*
Warum findet Anna es peinlich, nach dem Landhaushof
  zu fragen? *Why does Anna find it embarrassing to ask*
  about the Landhaus courtyard?
  Landhaushof der, ⸚e *Landhaus courtyard*
Wo steht: „Nicht mein Wille – der deine geschehe"?
  Where does it say "Not my will, but Thy will be done"?
  geschehen, es geschieht, geschah, ist geschehen
  to happen

Seite 37

Gasse die, -n *lane*
Kreuzung die, -en *crossroads*
Dom der, -e *cathedral*
Vielen Dank! *Many thanks!*
Dank der (singular) *thanks*
Auskunft die, ⸚e *information*
Franziskaner der, - *Franciscan*
Kloster das, ⸚ *monastery*
Schauspielhaus das, ⸚er *theatre*
Schlossbergbahn die *Schlossberg funicular railway*
Stadtmuseum das, -museen *city museum*
Stadtpark der, -s *municipal park*
Stadtpfarrkirche die, -n *parish church*
Antiquität die, -en *antique*
Hauptplatz der, ⸚e *main square*
linke- *left*
Burgtor das, -e *castle gate*
Straßenname der, -n *street name*
Bedeutung die, -en *meaning*

Seite 38

Wetter das (singular) *weather*
normalerweise *normally*
Temperatur die, -en *temperature*

Schnee der (singular) *snow*
es regnet *it is raining*
es schneit *it is snowing*
Unterhaltung die, -en *entertainment*
Wolke die, -n *cloud*
Messwert der, -e *measurement*
Vorhersage die, -n *forecast*
Wetterkarte die, -n *weather map*
Gesprächsthema das, -themen *topic of conversation*
Ist das eine Affenhitze! *(slang) What sweltering heat!*
  Affenhitze die (singular) *sweltering heat*
Sibirien (das) *Siberia*
Sauwetter das (singular) *(slang) lousy weather*
Bilderbuch das, ⸚er *picture book*
Da jagt man ja keinen Hund vor die Tür.
  You wouldn't send a dog out in this.
  jagen + ACCUSATIVE + DIRECTION *to chase*
Jahreszeit die, -en *season*
Hahn der, ⸚e *cock*
krähen *to crow*
Mist der (singular) *dung-heap*
sich ändern *to change*
Engel der, - *angel*
Sonnenschein der (singular) *sunshine*

Seite 39

gesungen von + DATIVE *sung by*
tiefgekühlt *deep frozen*
gab's = gab es *there was*
gab (→ geben) *gave*
hitzefrei *school closed due to heat*
Freibad das, ⸚er *open-air pool*
auf sein *to be open*
saß (→ sitzen) *sat*
Sonnenbrand der (singular) *sunburn*
Riesenqualle die, -n *giant jellyfish*
Schutzmann der, ⸚er *policeman*
ausziehen + ACCUSATIVE *zog aus, hat ausgezogen to take off*
nass *wet*
sibirisch *Siberian*
Hitzewelle die, -n *heat wave*
Pulloverfabrikant der, -en *pullover manufacturer*
eingehen *ging ein, ist eingegangen to go out of business*
Grad der, -e *degree*
Schatten der, - *shade*
sparsam *economic*
knallen + DIRECTION *to blaze*
Schaf das, -e *sheep*
schor (→ scheren) *sheared*
scheren + ACCUSATIVE *schor, hat geschoren to shear*
Afrika (das) *Africa*
Wer durfte, machte FKK. *Whoever was allowed to, went nude.*
  FKK (das) = Freikörperkultur die (singular) *naturism*
summen + ACCUSATIVE *to buzz*
Mücke die, -n *midge*
im Chor *in chorus*
  Chor der, ⸚e *chorus*
Reinfall der, ⸚e *washout*

Meter der oder das, - *metre (GB), meter (US)*
Mein Milchmann sagt: „Das Klima hier, wen wundert's, ..."
  My milkman says, "This climate here, who's surprised ..."
  Milchmann der, ̈-er *milkman*
  Klima das, -s *climate*
  wundern + ACCUSATIVE *to surprise*
... denn schuld daran ist nur die SPD" (hähähä)
  ... because it's all the SPD's fault (Ha! ha!)
  schuld sein + an DATIVE *to be to blame*
(zu) weit gehen *to go too far*
Urlaubszeit die, -en *holiday time*
glaub' = glaube *(I) believe*
trotz allem *despite everything*
unbeirrt *unwaveringly*
Und diese Frage geht uns alle an! *And this (question) affects us all!*
  nichts/etwas angehen + ACCUSATIVE ging an, ist angegangen *to matter little/a lot*
Schirm der, -e *umbrella*
Polizist der, -en *policeman*
Fell das, -e *coat*
Wolle die (singular) *wool*
Abkürzung für „Freikörperkultur", nackt baden
  abbreviation for "free body culture", nude bathing
  nackt *nude*
  Abkürzung die, -en *abbreviation*
sozialdemokratisch *social democratic*
Partei die, -en *party*
übertrieben *exaggerated*
überzeugt *convinced*
Prüfung die, -en *test*

Seite 40

Konjunktiv der, -e *subjunctive*
Vorschlag der, ̈-e *suggestion*
anschließend *then, next*
kurzfristig *at short notice*
Ortsangabe die, -n *indicating the location*
Richtungsangabe die, -n *indicating the direction*
Wie komme ich bitte zum Franziskanerkloster?
  How do I get to the Franciscan monastery?
  Franziskanerkloster das, ̈- *Franciscan monastery*
herumgehen + um ACCUSATIVE *to go round*
Rathaus das, ̈-er *town hall*
Congresshaus das, ̈-er *congress hall*
Da ist es dann gleich, auf der rechten Seite.
  Then you come to it straightaway on the right.
  rechte- *right-hand*
am besten *best of all*
Taxi das, -s *taxi*

Seite 53

rauf *up*
runter *down*
Spielfigur die, -en *pieces*
Würfel der, - *dice*

Leiterspiel das, -e *ladder game*
Aufgabenfeld das, -er *task squares*
Aufgabe die, -n *task*
vorgehen + ACCUSATIVE ging vor, ist vorgegangen
  to move on
stehen bleiben, blieb stehen, ist stehen geblieben
  to stay put
Pechleiter die, -n *unlucky ladder*
Steigen Sie die Leiter nach unten. *Go down the ladder.*
  steigen + ACCUSATIVE + DIRECTION stieg, ist gestiegen
  to climb
  Leiter die, -n *ladder*
Glücksleiter die, -n *lucky ladder*

Seite 54

Start der, -s *start*
Wohnhaus das, ̈-er *dwelling house*
Gedanke der, -n *thought*
Wetterfühligkeit die (Singular) *sensitivity to changes in the weather*

Seite 55

Heimatstadt die, ̈-e *home town*
Hotelzimmer das, - *hotel room*
reservieren + ACCUSATIVE *to reserve*
Kompositum das, Komposita *compound noun*
Decke die, -n *cloth*
Kerze die, -n *candle*
Ständer der, - *stand*
Sinn der, -e *sense*
Protest der, -e *protest*
Demonstration die, -en *demonstration*
Rücktritt der, -e *resignation*
Kundgebung die, -en *rally*

Arbeitsbuch

Arbeitsbuch Seite 59

Hochhaus das, ̈-er *tower block*
Fachwerkhaus das, ̈-er *half-timbered house*
Bauernhof der, ̈-e *farmhouse*
Bauer der, -n *farmer*
Ökohaus das, ̈-er *environmentally friendly house*
Einfamilienhaus das, ̈-er *family house*
Wohnheim das, -e *hostel*
Altbau der, -ten *pre-war building*
Haustyp der, -en *type of house*
aneinander *attached to each other*
Holz das, ̈-er *wood*
Lehm der (singular) *clay*
Ziegel der, - *brick*
Holzbalken der, - *beam*
außen *outside*
sichtbar *visible*

König der, -e *king*
Fürst der, -en *prince*
Appartement das, -s *apartment, flatlet*
Stall der, -̈e *stable, cowshed*
Scheune die, -n *barn*
Solarheizung die, -en *solar heating*
Wasserspartechnik die, -en *water conservation technology*

Arbeitsbuch Seite 60

Eigentümer der, - *owner*
Hausarzt der, -̈e *family doctor (Brit. GP)*
Reparatur die, -en *repair*
Hausbewohner der, - *resident*
abschließen + ACCUSATIVE du schließt ab, sie/er/es schließt ab, schloss ab, hat abgeschlossen *to lock*
Eintrag der, -̈e *entry*
Ggs. = Gegensatz *opposite*
niedrig *low*
Ferienhaus das, -̈er *holiday home*
seltsam *strange*
zurückkehren du kehrst zurück, sie/er/es kehrt zurück *to return*
operieren + ACCUSATIVE *to operate on*

Arbeitsbuch Seite 61

Wohnviertel das, - *residential district*
jetzig- *current*

Arbeitsbuch Seite 62

Umlage die, -n *cost*
geeignet *suitable*
Garage die, -n *garage*
Dachgeschoss das, -e *attic*
Neubau der, -ten *post-war building*
Wohnraum der, -̈e *accommodation*
Mitwohnzentrale die, -n *flat-sharing agency*
Umland das (singular) *surrounding area*

Arbeitsbuch Seite 63

Maklergebühr die, -en *agent's fee*
pauschal *flat-rate*
Fliederbusch der, -̈e *lilac tree*

Arbeitsbuch Seite 64

E-Mail die, -s *e-mail*
Fahrerin die, -nen *driver (female)*

Arbeitsbuch Seite 65

Endsilbe die, -n *final syllable*
unbetont *unstressed*

wegfallen, du fällst weg, sie/er/es fällt weg, fiel weg, ist weggefallen *to be dropped*
Pauschale die, -n *fixed sum*
Schlüssel der, - *key*
Summe die, -n *sum*
Jahresende das, -n *end of year*
rechnen du rechnest, sie/er/es rechnet *to calculate*
Traummakler der, - *dream agent*
Provision die, -en *commission*
Dachgeschosswohnung die, -en *penthouse*
Bedingung die, -en *condition*
Fremde die/der, -n (ein Fremder) *foreigner*
wann immer *when ever*

Arbeitsbuch Seite 66

Tapetenwechsel der (singular) *change of wallpaper, change of scenery*
Anlage die, -n *system*
Krone die, -n *crown*
Leuchter der, - *candelabra*
stereo *stereo*
Kronleuchter der, - *chandelier*
Einrichtungsgegenstand der, -̈e *item of furniture*
kitschig *kitschy*
chaotisch *chaotic*
luxuriös *luxurious*
extravagant *extravagant*
protzig *showy, ostentatious*

Arbeitsbuch Seite 67

Sendung die, -en *programme*
Biologin die, -nen *biologist (female)*
Wochenendehe die, -n *weekend marriage*
Fremdsprachenkorrespondentin die, -nen *bilingual secretary*
sozial *social*
langjährig *over many years*

Arbeitsbuch Seite 68

zugehen + auf ACCUSATIVE ging zu, ist zugegangen *to approach*
aufdrängen + DATIVE + ACCUSATIVE *to impose*
hierbleiben *to stay here*
superglücklich *deliriously happy*
Arbeitsvertrag der, -̈e *work contract*
verlängern + ACCUSATIVE + auf ACCUSATIVE / + um ACCUSATIVE *to extend*
hin- und herfahren + zwischen (... und ...) DATIVE fuhr hin und her, ist hin- und hergefahren *to commute between (... and ...)*
sich verabreden + mit DATIVE du verabredest dich, sie/er/es verabredet sich *to make a date*
Satzanfang der, -̈e *sentence starter*
Gesprächsrunde die, -n *call-in programme*
Wohnungsanzeige die, -n *accommodation ad*

Arbeitsbuch Seite 70

Badewanne die, -n *bath*
Treppenhaus das, ¨er *stairwell*

Arbeitsbuch Seite 71

Wohnungsmarkt der, ¨e *accommodation market*

Arbeitsbuch Seite 75

abbrechen + ACCUSATIVE du brichst ab, brach ab,
  hat abgebrochen *to break off*
Jura-Studium das (Singular) *law course*
Zweitstudium das (Singular) *second degree*
Psychologie die (Singular) *psychology*

Arbeitsbuch Seite 76

Schreibtisch der, -e *desk*
Stammvokal der, -e *root vowel*
Verbgruppe die, -n *verb group*

Arbeitsbuch Seite 77

Schriftsteller der, - *writer*
Volksschule die, -n *primary school*
Lehrer-Seminar das, -e *teacher training college*
Erziehungsmethode die, -n *teaching method*
Germanistik die (Singular) *German (as course
  of study)*
Geschichte die (Singular) *history*
Philosphie die (Singular) *philosophy*
Theaterwissenschaft die, -en *drama (as course
  of study)*
Gedichtband der, ¨e *volume of poetry*
Hörspielautor der, -en *radio play author*
Drehbuchautor der, -en *film script writer*
Drehbuch das, ¨er *film script*
Kinderbuchautor der, -en *children's book author*
Kinderbuch das, ¨er *children's book*
Detektiv der, -e *detective*
Klassenzimmer das, - *classroom*
verbrennen + ACCUSATIVE verbrannte, hat verbrannt
  to burn
Nationalsozialist der, -en *National Socialist*
veröffentlichen + ACCUSATIVE *to publish*
Weltkrieg der, -e *World War*
zur Welt kommen *to be born*
Militärschule die, -n *military academy*
Lyriksammlung die, -en *collection of poems*
tschechisch *Czech*
Staatsbürger der, - *citizen*
Hauptwerk das, -e *principal work*
Elegie die, -n *elegy*
Leukämie die (Singular) *leukaemia*

Arbeitsbuch Seite 78

Parfüm das, -s *perfume*
Salz das, -e *salt*
Zucker der, - *sugar*
Schweiß der (Singular) *sweat*
Zunge die, -n *tongue*
Sinnesorgan das, -e *sensory organ*
Organ das, -e *organ*
Verstand der (Singular) *intellect*
theoretisch *in theory*
Kindheitserinnerung die, -en *memory of childhood*
Witz der, -e *joke*
Fasching der (Singular) *carnival (in S. Germany /
  Austria)*
sich verkleiden als *to dress up as*
Sommerferien die (Plural) *summer holidays*
Teddy der, -s *teddy bear*
Schulferien (Plural) *school holidays*
sich scheiden *to divorce*

Arbeitsbuch Seite 79

aufwachen *to wake*
elektrisch *electric*
Erde die (Singular) *earth*
Eisenbahn die, -en *railway*
Angstzustände die (plural) *states of panic*

Arbeitsbuch Seite 80

Biografie die, -n *biography*
Garantie die, -n *guarantee*
Kalorie die, -n *calorie*
Komödie die, -n *comedy*
Linie die, -n *line*
Petersilie die, -n *parsley*
betont *stressed*
Wortanfang der, ¨e *start of a word*
Reim der, -e *rhyme*
joblos *jobless*
Jeansjacke die, -n *denim jacket*
kniefrei *above the knee*
Kleinfamilie die, -n *small family*

Arbeitsbuch Seite 81

aufgeregt *excited*
Hörer der, - *handset*
auflegen du legst auf, sie/er/es legt auf *to replace*
todmüde *dead tired*
Sitzung die, -en *meeting*
Personalchef der, -s *Head of Personnel / Human
  Resources*
Rendezvous das, - *rendezvous*
Braut die, ¨e *fiancée*

Arbeitsbuch Seite 82

Kündigung die, -en *notice (to terminate employment)*
Fußball-Europameisterschaft die, -en *European Championship (football)*
Arbeitslosigkeit die (Singular) *unemployment*
zunehmen du nimmst zu, nahm zu, hat zugenommen *to increase*
Ferienbeginn der (Singular) *holiday start*
EU-Bürger der, - *EU citizen*
plädieren + für + ACCUSATIVE *to be in favour of*
Tennis-Karriere die, -n *tennis career*
Wirtschaftsreform die, -en *economic reform*
Präsident der, -en *president*
tagelang *for days on end*
überfüllt *overcrowded, choked*
trauern + um + ACCUSATIVE *to mourn*
Palästinenser der, - *Palestinian*
wochenlang *for weeks on end*

Arbeitsbuch Seite 83

Blechtrommel die, -n *tin drum*
Trommel die, -n *drum*
Kriegsbeginn der (Singular) *outbreak of war*
Krieg der, -e *war*
hinunterfallen du fällst hinunter, fiel hinunter, ist hinuntergefallen *to fall down*
eines Tages *one day*
Kellertreppe die, -n *cellar steps*
wachsen du wächst, wuchs, ist gewachsen *to grow*
trommeln *to (play the) drum*
schreien du schreist, schrie, hat geschrien *to scream*
protestieren *to protest*
beschließen du beschließt, beschloss, hat beschlossen *to decide*
Häufigkeit die, -en *frequency*
Zeitpunkt der, -e *point in time*
Zeitdauer die (singular) *length of time*
Buchstabensalat der, - *letter salad*
Synonym das, -e *synonym*
Antonym das, -e *antonym*
Zeitadverb das, Adverbien *adverb of time*

Arbeitsbuch Seite 84

Fotoassistenz die, -en *work as a junior photographic assistant*
Werbestudio das, -s *advertising studio*
Mauerfall der (singular) *fall of the Wall*

Arbeitsbuch Seite 89

Aussichtsturm der, ⸚e *viewing tower*
Denkmal das, ⸚er *monument*
Badehose die, -n *bathing trunks*
Biergarten der, ⸚ *beer garden*
Kegelbahn die, -en *bowling alley*

Arbeitsbuch Seite 90

Piktogramm das, -e *pictogram*
behindertengerecht *with disabled access*
Gepäckträger der, - *porter*
gutbürgerlich *good plain*
Frühstückspension die, -en *bed and breakfast guest-house*
hauseigen *own*
Konditorei die, -en *confectionery and cake-shop*
Zimmerausstattung die (singular) *room furnishing*
ansprechend *attractive*
Kirschholzmobiliar das (singular) *cherry-wood furniture*
Marmorbad das, ⸚er *marble bath*
Direktwahl die (singular) *direct dial*
Telefonanschluss der, ⸚e *telephone connection*
Haarfön der, -e *hairdryer*
Kosmetikspiegel der, - *shaving mirror*
Wäschereiservice der (singular) *laundry service*
Roomservice der (singular) *room service*
Faxgerät das, -e *fax machine*
Hosenbügler der, - *trouser-press*
Das Hotel bietet Weiteres *The hotel also offers*
Weiteres *additional items*
hoteleigen *the hotel's own*
Tagungsabteilung die, -en *conference department*
Sekretariatsservice der (singular) *secretarial service*
Concierge die/der, -s *concierge, hotel porter*
Reservierungssystem das, -e *reservation/booking system*
Faxmöglichkeit die, -en *fax facility*

Arbeitsbuch Seite 91

Hotelgast der, ⸚e *visitor*
Internet-Anschluss der, ⸚e *internet connection*
Raucherzimmer das, - *room with smoking allowed*
Stockwerk das, -e *floor*
Zimmerschlüssel der, - *room key*

Arbeitsbuch Seite 92

sonderbar *strange*
Frühstücksraum der, ⸚e *breakfast room*
Hotelangestellte die/der, -n (ein Hotelangestellter) *hotel employee*

Arbeitsbuch Seite 93

Preisausschreiben das (Singular) *competition*
Einleitung die, -en *opening*
Chefin die, -nen *boss (female)*
übernächste Woche *the week after next*
dauern ~ACCUSATIVE *to last*
Mietwagen der, - *hire car*
Humor der (singular) *humour*
herzlos *heartless*
sprachlos *speechless*
grenzenlos *limitless*
treulos *faithless*
rücksichtsvoll *considerate*

Arbeitsbuch Seite 94

Zusatz der, ¨e *suffix*
humorlos *humourless*
wertlos *worthless*
Temperament das, -e *temperament*
liebevoll *loving*
böse *angry*
herumhängen + LOCATION hing herum,
  hat herumgehangen *to hang about*

Arbeitsbuch Seite 95

Kunstmuseum das, -museen *art gallery*
Käfigturm der, ¨e *cage tower*
botanisch *botanical*
Stadttheater das, - *city theatre*
Brunnen der, - *fountain*
Münster das, - *minster*
Stiftsgebäude das, - *cathedral building*
Rosengarten der, ¨ *rose garden*
Konzerthaus das, ¨er *concert hall*

Arbeitsbuch Seite 96

Bahnhofplatz der, ¨e *station forecourt*
Stadttor das, -e *city gate*
astronomisch *astronomical*
Figurenspiel das, -e *moving figures*
Beginn der (singular) *start*
Profanbau der, -ten *secular building*
Bär der, -en *bear*
Wappentier das, -e *emblem*
sich lehnen + DIRECTION *to lean*
Aussichtspunkt der, -e *viewpoint*
Wegauskunft die, ¨e *direction*
Bollwerk das, -e *bastion*

Arbeitsbuch Seite 97

wolkig *cloudy*
bewölkt *overcast*
Donner der, - ·thunder
Föhn der (singular) *foehn (wind in Southern Germany)*
Frost der, ¨e *frost*
gewittrig *thundery*
Hagel der (singular) *hail*

Hoch das, -s *high (pressure)*
Nebel der (singular) *fog, mist*
mild *mild*
Niederschlag der, ¨e *precipitation*
Schauer der, - *shower*
sonnig *sunny*
Sturm der, ¨e *storm*
Tief das, -s *depression*
unbeständig *unsettled*
wechselhaft *changeable*
windig *windy*
frostig *frosty*
Wetterbericht der, -e *weather forecast*
Höchsttemperatur die, -en *top temperature*
stürmisch *stormy*
Kopfweh das (Singular) *headache*

Arbeitsbuch Seite 98

Fass das, ¨er *barrel*
Phonetik die (singular) *phonetics*
Diphthong der, -e *diphthong*
verwechseln + ACCUSATIVE du verwechselst,
  sie/er/es verwechselt *to confuse*
halbfertig *half-finished*
Unterlippe die, -n *lower lip*
obere *upper*
Luft holen *to take a breath*
Vergnügen das, - *pleasure*
weshalb *for what reason*
fischen + ACCUSATIVE *to fish*
Föhnwind der, -e *foehn wind*

Arbeitsbuch Seite 99

Fernsehturm der, ¨e *television tower*
Kreditkarte die, -n *credit card*

Arbeitsbuch Seite 100

Stadtmitte die (singular) *city centre*
Ski der, -er *ski*

Arbeitsbuch Seite 101

Wirt der, -e *landlord*

Arbeitsanweisungen

Deutsch	English
Antworten Sie.	Answer.
Arbeiten Sie in Gruppen.	Answer in groups.
Beantworten Sie die Fragen.	Answer the questions.
Berichten Sie.	Report.
Beschreiben Sie.	Describe.
Bilden Sie Sätze.	Form sentences.
Diskutieren Sie.	Discuss.
Ergänzen Sie.	Complete.
Ersetzen Sie die Bilder durch die passenden Wörter.	Replace the pictures with the appropriate words.
Finden Sie weitere Fragen.	Find further questions.
Fragen Sie Ihren Nachbarn.	Ask your neighbour.
Hören Sie … (bitte) noch einmal.	(Please) listen … once again.
Interviewen Sie die anderen Kursteilnehmer / Ihre Nachbarn.	Interview the other course members / your neighours.
Korrigieren Sie die Fehler.	Correct the mistakes.
Lesen Sie (den Text).	Read (the text).
Lesen Sie weiter.	Read on.
Lesen Sie vor.	Read out loud.
Lösen Sie das Rätsel.	Solve the puzzle.
Machen Sie aus Adjektiven Nomen.	Make nouns from adjectives.
Markieren Sie.	Tick. / Mark.
Notieren Sie (die Antworten).	Note down (the answers).
Ordnen Sie.	Sort.
Ordnen Sie zu.	Match.
Raten Sie.	Guess.
Sagen Sie die Wörter laut.	Say the words out loud.
Schauen Sie das Bild an.	Look at the picture.
Schreiben Sie eigene Dialoge.	Write your own dialogues.
Singen Sie gemeinsam.	Sing together.
Singen Sie mit.	Sing along.
Sortieren Sie (die Sätze).	Rearrange (the sentences).
Spielen Sie dann Ihren Dialog vor.	Then act out your dialogue.
Sprechen Sie mit Ihren Nachbarn.	Speak with your neighbour.
Sprechen Sie nach.	Repeat.
Sprechen Sie über die Bilder.	Speak about the pictures.
Suchen Sie die Adjektive im Text.	Look for the adjectives in the text.
Tauschen Sie die Rätsel im Kurs.	Exchange the puzzles round the class.
Üben Sie.	Practise.
Überlegen Sie: Wie heißen …?	Think it over: What is the word for …?
Unterstreichen Sie (die Adjektive).	Underline (the adjectives).
Vergleichen Sie.	Compare.
Wählen Sie ein Gedicht.	Choose a poem.
Was bedeuten die Wörter?	What do the words mean?
Was denken Sie?	What do you think?
Was ist richtig: a, b oder c?	Which is right: a, b or c?
Was meinen Sie?	What do you think?
Was passt (wo)?	What fits (where)?
Was passt zu welchem Dialog?	What fits which dialogue?
Was passt zusammen?	What goes together?
Welche Regeln gelten für welche Gruppen?	Which rules apply to which groups?
Welches Bild kommt zuerst?	Which picture comes first?
Wer gehört zu wem?	Who belongs to whom?
Wie finden Sie …?	What do you think of …?
zu zweit / zu dritt / zu viert	in pairs / in groups of three/four

Der Tisch ist toll.

Den finde ich nicht schön.

Und ein paar Lerntipps

Vokabeln lernen und wiederholen

Machen Sie Listen von Ausdrücken mit „Infinitiv mit zu" und ergänzen Sie passende Aussagen.
Ergänzen Sie die Listen, wenn Sie neue Wörter mit „Infinitiv mit zu" lernen oder wenn Sie neue Ideen für passende Aussagen haben.
Tauschen Sie Ihre Listen mit anderen aus und befragen Sie sich gegenseitig: *Warum (hast du keine Zeit, einkaufen zu gehen)? – Weil … usw.*

Verben und ihre Stammformen

Lernen Sie die unregelmäßigen Verben und die Mischverben immer mit ihren Stammformen (Infinitiv, Präteritum, Partizip Perfekt).
bekommen – bekam – bekommen
verbringen – verbrachte – verbracht
Sie finden diese Informationen im Wörterbuch.
Bei unregelmäßigen Verben mit Vokalwechsel lernen Sie auch die Präsensform:
geben / gibt – gab – gegeben

Höfliche Fragen

Indirekte Fragen klingen höflicher als direkte Fragen. Seien Sie doch einmal besonders höflich. Fragen Sie also nicht „Wie spät ist es?", sondern „Könnten Sie mir sagen, wie spät es ist?". Und denken Sie daran: Auch die Satzmelodie ist wichtig!

Einen Text zusammenfassen

Stichwörter/Notizen machen

1 Unterstreichen Sie die wichtigsten Wörter, z. B. im Artikel unten: **Irene Sinclair, 96-Jährige, Fotomodell, …**
2 Machen Sie daraus eine Liste mit Stichwörtern. Fragewörter können Ihnen auch helfen, die Stichwörter zu strukturieren.
Wer? *Irene Sinclair*
Alter? *96-Jährige*
Was? *wird Fotomodell*
…
3 Geben Sie mithilfe der Stichwörter den Text wieder. Machen Sie ganze Sätze und erzählen Sie so den Inhalt des Artikels.

And a few learning tips

Learning and repeating vocabulary

Make lists of expressions with "Infinitive + zu" and add suitable expressions. Add to the lists when you learn new words with "Infinitive + zu" or when you have new ideas for suitable expressions. Swop your lists with others, and ask each other.
„Warum (hast du keine Zeit, einkaufen zu gehen)? – Weil …" etc.

Verbs and their root forms

Always learn irregular verbs and mixed verbs with their root forms. Infinitive – Preterite – past participle.
bekommen – bekam – bekommen
verbringen – verbrachte – verbracht
You will find this information in your dictionary. In the case of irregular verbs with vowel change, also learn the present form:
geben / gibt – gab – gegeben

Learning tip: Polite questions

Indirect questions sound more polite than direct questions. Be especially polite. So don't ask „Wie spät ist es?" but „Können Sie mir sagen, wie spät es ist?" And bear in mind: the sentence melody is also important.

Learning tip: Summarising a text

Key words / making notes

1 Underline the most important words, e. g. in Text 1 **Irene Sinclair, 96-Jährige, Fotomodell, …**
2 From this make a list with key words. Question words can help you structure the key words:
Wer? *Irene Sinclair*
Alter? *96-Jährige*
Was? *wird Fotomodell*
…
3 With the help of your key words, reconstruct the text. Make complete sentences, thereby retelling the content of the text.

Urgroßmutter wird Modell

Irene Sinclair, die 96-jährige Urgroßmutter wird Fotomodell: Eine britische Kosmetik- und Toilettenartikelfirma hat sie für die Werbung von Schönheitsprodukten engagiert. Nach Zeitungsberichten vom Dienstag gehört Irene Sinclair zu einem Team von sechs „ganz normalen" Frauen, die beweisen sollen, dass nicht nur die Jugend Schönheit bringt.
…

Unregelmäßige Verben

Einige unregelmäßige Verben haben im Präteritum und Partizip Perfekt dieselben Stammvokale. Bilden Sie verschiedene Verbgruppen und lernen Sie diese Verben zusammen, z. B.:

kommen – kam – gekommen
lesen – las – gelesen
finden – fand – gefunden
bekommen – bekam – bekommen
sehen – sah – gesehen

nehmen – nahm – genommen

beginnen – begann – begonnen
treffen – traf – …

Learning tip: Irregular verbs

Some irregular verbs have the same root vowel in the Preterite and past participle. Make groups of verbs, and then learn these verbs together, e. g.

kommen – kam – gekommen
lesen – las – gelesen
finden – fand – gefunden
bekommen – bekam – bekommen
sehen – sah – gesehen

nehmen – nahm – genommen

beginnen – begann – begonnen
treffen – traf – …

Grammar summary

Overview

I Sounds

II Words

Verbs

Nouns

Articles and pronouns

Adjectives

Adverbs

Prepositions

Conjunctions

Modal particles

Numbers

Word formation

III   Sentences

I Sounds

1 The alphabet

Aa [a:] Bb [be:] Cc [tse:] Dd [de:] Ee [e:] Ff [ɛf] Gg [ge:]
Hh [ha:] Ii [i:] Jj [jɔt] Kk [ka:] Ll [ɛl] Mm [ɛm] Nn [ɛn]
Oo [o:] Pp [pe:] Qq [ku:] Rr [ɛr] Ss [ɛs] Tt [te:] Uu [u:]
Vv [fao] Ww [ve:] Xx [iks] Yy [ypsilɔn] Zz [tset]

Umlauts: Ää [ɛ:] Öö [ø:] Üü [y:]

Diphthongs: Ei/ei [ai] Au/au [ao] Eu/eu/Äu/äu [oi]

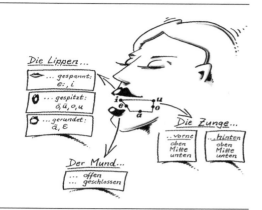

[e:] indicates a long vowel.

2 Vowels, umlauts and diphthongs

written:	spoken:	example:
a	[a]	dann, Stadt
a, aa, ah	[a:]	Name, Paar, Fahrer
e	[ɛ]	kennen, Adresse
	[ə]	kennen, Adresse
e, ee, eh	[e:]	den, Tee, nehmen
i	[ɪ]	Bild, ist, bitte
i, ie, ih	[i:]	gibt, Spiel, ihm
ie	[jə]	Familie, Italien
o	[ɔ]	doch, von, kommen
o, oo, oh	[o:]	Brot, Zoo, wohnen
u	[ʊ]	Gruppe, hundert
u, uh	[u:]	gut, Stuhl
y	[y]	Gymnastik, System

Umlauts		
ä	[ɛ]	Gäste, Länder
ä, äh	[ɛ:]	spät, wählen
ö	[œ]	Töpfe, können
ö, öh	[ø]	schön, fröhlich
ü	[y]	Stück, Erdnüsse
ü, üh	[y:]	üben, Stühle

Diphthongs		
ei, ai	[ai]	Weißwein, Mai
eu, äu	[ɔy]	teuer, Häuser
au	[ao]	Kaufhaus, laut

3 Consonants and consonant combinations

Consonants		
b*, bb	[b]	Bier, Hobby
d*	[d]	denn, einladen
f, ff	[f]	Freundin, Koffer
g*	[g]	Gruppe, Frage
h	[h]	Haushalt, hallo
j	[j]	Jahr, jetzt
k, ck	[k]	Küche, Zucker
l. ll	[l]	Lampe, alle
m, mm	[m]	mehr, Kaugummi
n, nn	[n]	neun, kennen
p, pp	[p]	Papiere, Suppe
r, rr, rh	[r]	Büro, Gitarre, Rhythmus
s, ss	[s]	Eis, Adresse
	[z]	Sofa, Gläser
t, tt, th	[t]	Titel, bitte, Methode
v	[f]	verheiratet, Dativ
	[v]	Vera, Verb, Interview
w	[v]	Wasser, Gewürze
x	[ks]	Infobox, Text
z	[ts]	Zettel, zwanzig

*At the end of a word or syllable		
-b	[p]	Urlaub, Schreibtisch
-d, -dt	[t]	Fahrrad, Stadt
-g	[k]	Dialog, Tag
-ig	[ç]	günstig, ledig
-er	[ɐ]	Mutter, vergleichen

Consonants in words from other languages		
c	[s]	City
	[k]	Computer, Couch
ch	[ʃ]	Chance, Chef
j	[dʒ]	Jeans, Job
ph	[f]	Alphabet, Strophe

Consonant combinations		
ch	[ç]	nicht, rechts, gleich, Bücher
	[x]	acht, noch, Besuch, auch
	[k]	Chaos, sechs
ng	[ŋ]	langsam, Anfang
nk	[ŋk]	danke, Schrank
qu	[kv]	Qualität
sch	[ʃ]	Tisch, schön
-t- before -ion	[ts]	Lektion, Situation

At the beginning of a word or syllable		
st	[ʃt]	stehen, verstehen
sp	[ʃp]	sprechen, versprechen

§ 4   Word stress

1. The stress within a word

In German words the stress always falls on the root syllable.

gehen, kommen, Deutschbuch, Küche

In words not of German origin the stress falls on the penultimate or final syllable.

Computer, telefonieren, Polizei, Dialog, Hotel

2. Word stress: short or long?

Stressed vowel	Rule
long vowel [a]	1. vowel + h *sehr, zehn, Jahre, Zahl* 2. vowel + vowel *Boot, Tee, Lied, Eis* 3. root vowel + single consonant *gut, Weg, geben, haben*
short vowel [a]	1. vowel + double consonant *kommen, Wasser, Gruppe, bitte* 2. vowel + 2 or 3 consonants *ich, ist, richtig, ganz, kurz*

II Words

Verbs

5 The infinitive - the basic form of the verb

*ess**en**, heiß**en**, komm**en**, geh**en***

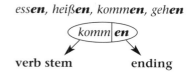

verb stem   ending

> In a dictionary verbs are given in the infinitive.

6 Present tense

Singular	verb stem + ending
1st person: **ich**	komm-e
2nd person: **du**	komm-st
3rd person: **sie / er / es**	komm-t
Plural	
1st person: **wir**	komm-en
2nd person: **ihr**	komm-t
3rd person: **sie / Sie**	komm-en

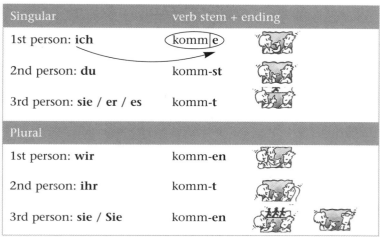

Hallo! Ich heiße Yoko Yoshimoto.

7 Irregular verbs in the present tense

1. sein / haben

	sein	haben	werden
ich	bin	habe	werde
du	bist	hast	wirst
sie / er / es / man	ist	hat	wird
wir	sind	haben	werden
ihr	seid	habt	werdet
sie / Sie	sind	haben	werden

2. Verbs with vowel change in the 2nd and 3rd person singuiar

Vowel change **e → i, e → ie**

	2nd person singular	3rd person singular
sprechen	**du** sprichst	**sie / er / es / man** spricht
nehmen	du nimmst	sie / er / es / man nimmt
sehen	du siehst	sie / er / es / man sieht
lesen	du liest	sie / er / es / man liest
geben	du gibst	sie / er / es / man gibt
essen	du isst	sie / er / es / man isst
helfen	du hilfst	sie / er / es / man hilft

Vowel change a → ä

	2nd person singular	3nd person singular
schlafen	**du** schläfst	**sie / er / es / man** schläft
tragen	du trägst	sie / er / es / man trägt
fahren	du fährst	sie / er / es / man fährt

§ 8 Separable and inseparable verbs

1. Separable verbs

Ich **schneide** *die Vorsilbe* **ab.**

Ruth **holt** *Anna vom Kindergarten* **ab**.

Thomas **steht** *um 7 Uhr* **auf** *und macht das Frühstück.*

Prefix	Root syllable
ab-	holen
ab-	stellen
auf-	stehen
auf-	hängen
auf-	räumen

Prefix	Root syllable
an-	machen
an-	ziehen
aus-	sehen
aus-	machen
ein-	packen
ein-	kaufen

Prefix	Root syllable
mit-	gehen
zu-	hören
vor-	lesen

Separable verbs:	Word stress ●○○○	<u>vor</u>lesen
Inseparable verbs:	Word stress ○●○	erk<u>lä</u>ren

2. Inseparable verbs

Die Lehrerin  *die Verben.*

be-	ent-	er-

ge-	miss-

ver-	zer-	wider-

9 Imperative

1. The use of the imperative

Setzen Sie sich doch, bitte!

Request:	**Gib** mir das Wörterbuch, *bitte*!
Tip:	**Kauf** ihnen *doch* ein paar Süßigkeiten!
Order:	**Gib** ihr *sofort* das Feuerzeug!
Prohibition:	**Spiel** *nicht* mit dem Feuer!

2. The form of the imperative

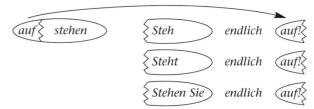

infinitive	du		ihr		Sie	
kommen	Komm	-!	Komm	-t!	Komm	-en Sie!
kaufen	Kauf	-!	Kauf	-t!	Kauf	-en Sie!
▶ geben	Gib	-!	Geb	-t!	Geb	-en Sie!

3. Position in the sentence

	Position 1	Position 2
du form:	*Komm*	*doch mal zu einem Kaffee!*
Sie form:	*Schauen*	*Sie doch mal bei den Milchprodukten!*

4. Imperative of separable verbs

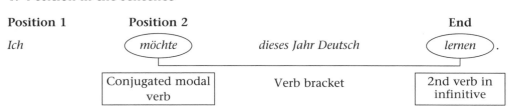

10 Modal verbs

German has 6 modal verbs:
dürfen   können   möchten   müssen   sollen   wollen

1. Position in the sentence

Position 1	Position 2		End
Ich	*möchte*	*dieses Jahr Deutsch*	*lernen* .
	Conjugated modal verb	Verb bracket	2nd verb in infinitive

2. Modal verbs: meaning

dürfen	können	möchten (mögen)	müssen	sollen	wollen
Permission and prohibition	Possibility	Wish	Necessity	Offer, suggestion	Strong wish, will
Ich **darf** heute lange schlafen. Ich **darf** heute **nicht** lange schlafen.	Ich **kann** schlafen oder fernsehen.	Ich **möchte** jetzt schlafen.	Ich **muss** mehr schlafen.	Ich **soll** schlafen.	Ich **will** schlafen.

3. Conjugation of modal verbs in present tense

	müssen	sollen	wollen	können	dürfen	möchten
ich	muss	soll	will	kann	darf	möchte
du	musst	sollst	willst	kannst	darfst	möchtest
sie/er/es/man	muss	soll	will	kann	darf	möchte
wir	müssen	sollen	wollen	können	dürfen	möchten
ihr	müsst	sollt	wollt	könnt	dürft	möchtet
sie/Sie	müssen	sollen	wollen	können	dürfen	möchten

4. Conjugation of modal verbs in the Preterite

	müssen	sollen	wollen	können	dürfen	möchten
ich	musste	sollte	wollte	konnte	durfte	mochte
du	musstest	solltest	wolltest	konntest	durftest	mochtest
sie/er/es/man	musste	sollte	wollte	konnte	durfte	mochte
wir	mussten	sollten	wollten	konnten	durften	mochten
ihr	musstet	solltet	wolltet	konntet	durftet	mochtet
sie/Sie	mussten	sollten	wollten	konnten	durften	mochten

11 Perfect tense

1. Position in the sentence

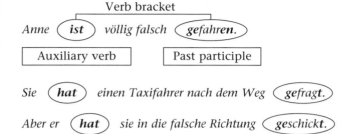

Verb bracket

Anne (**ist**) *völlig falsch* (**gefahren.**)

Auxiliary verb   Past participle

Sie (**hat**) *einen Taxifahrer nach dem Weg* (**gefragt.**)

Aber er (**hat**) *sie in die falsche Richtung* (**geschickt.**)

> "sein" and "haben" are auxiliary verbs.
> They are conjugated. "gefahren", "gefragt"
> and "geschickt" are verbs in the past
> participle form.
> → **Perfect = auxiliary + Past participle**

2. Auxiliaries in the Perfect tense: "sein" and "haben"

Auxiliary verb **"haben"**.
Most verbs form their perfect with "haben".

Auxiliary verb **"sein"** :
a) Movement → goal
    (e.g. *gehen, fliegen, kommen*)
b) **the verbs sein, bleiben and werden**

	sein	haben
ich	bin	habe
du	bist	hast
sie/er/es/man	ist	hat
wir	sind	haben
ihr	seid	habt
sie/Sie	sind	haben

3. Forms of the past participle

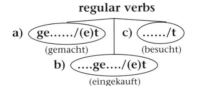

regular verbs

a) (ge......./(e)t) c) (......./t)
  (gemacht)   (besucht)
b) (....ge..../(e)t)
  (eingekauft)

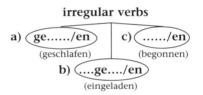

irregular verbs

a) (ge....../en) c) (....../en)
  (geschlafen)   (begonnen)
b) (....ge..../en)
  (eingeladen)

a) **Normal verbs** (e. g. *machen, warten, lernen, essen*)
  ▶ regular: *Wir <u>sind</u> direkt ins Hotel <u>gefahren</u>.*
    irregular: *Ralf <u>ist</u> im Hotel <u>geblieben</u>.*

b) **Separable verbs** (e. g. *aufwachen, losgehen, aufstehen*)
  ▶ regular: *Der Bus <u>hat</u> uns zu spät <u>abgeholt</u>.*
    irregular: *Wir <u>sind</u> dann allein <u>losgegangen</u>.*

c) **Inseparable verbs** (e. g. *besuchen, beginnen, ergänzen*)
  ▶ regular: *Wir <u>haben</u> in Las Vegas eine Show <u>besucht</u>.*
    irregular: *Unsere Weltreise <u>hat</u> gut <u>begonnen</u>.*

Regular or irregular?

In irregular verbs the **stem** is not always the same

sprechen

ich spreche	ich sprach	ich habe gesprochen
du sprichst	du sprachst	du hast gesprochen
*er spricht	er sprach	er hat gesprochen

*It is best to look up the form in the 3rd person singular (er spricht, er sprach, er hat gesprochen)

Auxiliary verbs in the Preterite

	sein	haben	werden
ich	war	hatte	wurde
du	warst	hattest	wurdest
sie/er/es/man	war	hatte	wurde
wir	waren	hatten	wurden
ihr	wart	hattet	wurdet
sie/Sie	waren	hatten	wurden

... als ich jung war, hatte ich einen Alfa Romeo.

2. Regular verbs in the Preterite

Infinitive + stem + Preterite ending			
ich	fragte	wir	fragten
du	fragtest	ihr	fragtet
sie/er/es/man	fragte	Sie/sie	fragten

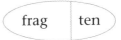

3. Irregular verbs in the Preterite

The stem of irregular verbs almost always changes in the Preterite

Preterite stem + ending			
ich	ging	wir	gingen
du	gingst	ihr	gingt
sie/er/es/man	ging	Sie/sie	gingen

▶ NB: There are some "mixed verbs". They change their stem but have the same endings as regular verbs.
denken: ich dachte, du dachtest ... etc.

▶ Perfect rather than Preterite. The du and ihr forms are seldom used. The Perfect is preferred.
Seid ihr gestern ins Kino gegangen?

You can talk about the past in the Preterite or in the Perfect. If you want to describe something which had already happened previously, you use the Pluperfect.

Es war eine Stimmung wie auf einem Volksfest.

Nachdem wir die ganze Nacht gefeiert hatten, gingen wir schließlich früh am Morgen todmüde ins Bett.

Verb in the Preterite

Immer wenn wir nach Hause (kamen),
(hatte) unsere Großmutter ihren köstlichen Apfelstrudel (gebacken).

Auxiliary in Preterite

Past participle (→ § 11)

14 **"zu" + infinitive**

"zu" + verb in infinitive

Es ist schwierig, konzentriert zu (lernen).

*Es gefällt mir, dich lachen **zu** hören!*
*Es ist sehr angenehm, einmal alleine **zu** wohnen.*
*Es ist ungewöhnlich, mit 30 noch bei Mama **zu** wohnen.*

*Ich habe keine Zeit, meine Eltern **zu** besuchen.*
*Ich hoffe, ihn morgen hier **zu** finden.*
*Er hat vergessen, die Wohnung auf**zu**räumen.*

*Fang bitte schon mal an, die Kartoffeln **zu** schälen.*
*Hilf uns doch mal, den Tisch **zu** decken!*

15 **Subjunctive 2 ("würd-, könnt-, sollt-" + infinitive)**

1. Use of Subjunctive 2

Request	Würdest du mir das Salz geben, bitte?
Wish	Ich würde gerne in einer Villa wohnen.
Suggestion	Wir könnten doch ins Kino gehen!
Advice	Sie sollten zum Arzt gehen.

2. Position in the sentence

	Position 2		**End of sentence**
Wo	(**würden**)	*Sie gerne*	(*wohnen*)?

Verb bracket

Ich	(**würde**)	*gern in einer Villa*	(*wohnen*).

3. Conjugation of Subjuctive 2

	„würd-"		„könnt-"		„sollt-"		„hätt-" (haben)	„wär" (sein)
ich	würde	geben	könnte	geben	sollte	geben	hätte	wäre
du	würdest	geben	könntest	geben	solltest	geben	hättest	wärst
sie/er/es/man	würde	geben	könnte	geben	sollte	geben	hätte	wäre
wir	würden	geben	könnten	geben	sollten	geben	hätten	wären
ihr	würdet	geben	könntet	geben	solltet	geben	hättet	wärt
Sie/sie	würden	geben	könnten	geben	sollten	geben	hätten	wären

▶ Idiomatic expressions using Subjunctive 2 of "haben" and "sein" do not need a second verb.
  Hätten Sie gerne etwas mehr Tee?
  Wie wäre es mit einem Konzert heute Abend?
  Möchtest du noch einen Kaffee?

Papa, *kaufst* *du* *uns* *ein Eis?*

Verb + complement

Verbs with a nominative complement
(schwimmen, schlafen, arbeiten etc.)

Verbs with nominative and accusative complements
(trinken, essen, sehen, hören, lesen etc.)

Verbs with nominative and dative complements
(helfen, gefallen, danken etc.)

Verbs with nominative, accusative and dative complements
(schreiben, kaufen, geben, nehmen, zeigen etc.)

Verbs with a prepositional complement
(danken für, bitten um, wohnen in, kommen aus, erzählen von etc.)

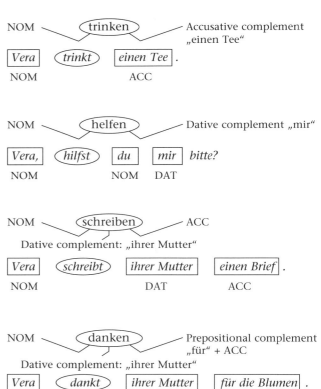

Nominative complement: „Vera" *arbeiten*

Vera *arbeitet* .
NOM

NOM *trinken* Accusative complement „einen Tee"

Vera *trinkt* *einen Tee* .
NOM   ACC

NOM *helfen* Dative complement „mir"

Vera, *hilfst* *du* *mir* bitte?
NOM   NOM   DAT

NOM *schreiben* ACC
Dative complement: „ihrer Mutter"

Vera *schreibt* *ihrer Mutter* *einen Brief* .
NOM   DAT   ACC

NOM *danken* Prepositional complement „für" + ACC
Dative complement: „ihrer Mutter"

Vera *dankt* *ihrer Mutter* *für die Blumen* .
NOM   DAT   PREP. + ACC

Nouns

17 Nouns and articles

Article	feminine ♀	masculine ♂	neuter
definite article	**die** Küche	**der** Herd	**das** Handy
indefinite article	**eine** Küche	**ein** Herd	**ein** Handy
negative article	**keine** Küche	**kein** Herd	**kein** Handy

▶ Sometimes the grammatical gender corresponds with the natural gender:
die Frau, die Kellnerin, die Brasilianerin
der Mann, der Kellner, der Brasilianer

1. Gender rules

feminine nouns	masculine nouns	neuter nouns
ending:	ending:	**Ge-**: das Genus
-e die Lampe	**-ant** der Elefant	das Gespräch
-heit die Freiheit	**-ent** der Student	ending:
-keit die Möglichkeit	**-eur** der Friseur	**-chen** das Mädchen
-ung die Wohnung	**-ist** der Tourist	**-zeug** das Spielzeug
-ion die Million		
-ie die Energie	**Days of the week:**	
	der Montag, der Dienstag …	
fruits:		
die Banane	**Seasons:**	
but: der Apfel,	der Frühling	
der Pfirsich		
	alcohol:	
	der Wein, der Wodka	
	but: das Bier	

2. Nouns used without articles

names:	Hallo, Nikos! Sind Sie Frau Bauer?
professions:	Er ist Fahrer von Beruf. Ich bin Lehrerin.
undefined expressions of quantity:	Nehmen Sie Zucker oder Milch? – Zucker, bitte.
cities and countries:	Kommen Sie aus Großbritannien? – Ja, ich komme aus London. Ich fahre nach + (*country/city without article*). Ich komme aus + (*country/city without article*).
! countries with article	Ich fahre in + (*article in accusative + country*). Ich komme aus + (*article in dative + country*). Ich fahre in die Türkei. Ich fahre in den Iran. Ich komme aus der Türkei. Ich komme aus dem Iran.

die Schweiz	**der** Iran	**die** Vereinigten Staaten / die USA
die Slowakei	der Irak	die Niederlande
die Volksrepublik China	der Sudan	die Philippinen
…	…	…

The plural article is "**die**".

die Lampe, -n = **die** Lampen
der Schrank, ⸚e = **die** Schränke
das Bett, -en = **die** Betten

-n / -en	-e / ⸚e	-s	-er / ⸚er	- / ⸚
die Lampe, -n	der Apparat, -e	das Foto, -s	das Ei, -er	der Computer, -
die Tabelle, -n	der Tisch, -e	das Büro, -s	das Bild, -er	der Fernseher, -
die Flasche, -n	der Teppich, -e	das Studio, -s	das Kind, -er	der Staubsauger, -
das Auge, -n	das Feuerzeug, -e	das Kino, -s	das Fahrrad, ⸚er	der Fahrer, -
die Regel, -n	das Problem, -e	das Auto, -s	das Glas, ⸚er	das Zimmer, -
die Nummer, -n	das Stück, -e	das Sofa, -s	das Haus, ⸚er	das Theater, -
die Wohnung, -en	der Stuhl, ⸚e	der Kaugummi, -s	das Land, ⸚er	der Vater, ⸚
die Lektion, -en	der Ton, ⸚e	der Lolli, -s	das Buch, ⸚er	der Sessel, -
die Süßigkeit, -en	die Hand, ⸚e	der Lerntipp, -s	das Wort, ⸚er	der Flughafen, ⸚
…	…	der Luftballon, -s	der Mann, ⸚er	…
		…	…	

▶ **a**, **o** and **u** often change in the plural to **ä**, **ö**, **ü**: der Mann, ⸚er (= *die Männer*). Some nouns have no singular form (e.g. *die Leute*) or no plural form (e.g. *der Zucker, der Reis*).

1. Declension of the definite article

Singular	feminine	masculine	neuter
Nominative	**die** Küche	**der** Herd	**das** Handy
Accusative	**die** Küche	**den** Herd	**das** Handy
Dative	**der** Küche	**dem** Herd	**dem** Handy

Plural			
Nominative	**die** Küchen/Herde/Handys		
Accusative	**die** Küchen/Herde/Handys		
Dative	**den** Küche**n**/Herde**n**/Handys		

2. Declension of the indefinite article

Singular	feminine	masculine	neuter
Nominative	**eine** Küche	**ein** Herd	**ein** Handy
Accusative	**eine** Küche	**einen** Herd	**ein** Handy
Dative	**einer** Küche	**einem** Herd	**einem** Handy

Plural			
Nominative	- Küchen	- Herde	- Handys
Accusative	- Küchen	- Herde	- Handys
Dative	- Küchen	- Herde**n**	- Handys

Der Igel ist im Garten.
*Sofie findet **den** Igel.*
*Sofie spricht mit **dem** Igel.*

▶ The plural indefinite article is known as the zero article.

3. Declension of the negative article

Singular	feminine	masculine	neuter
Nominative	**keine** Küche	**kein** Herd	**kein** Handy
Accusative	**keine** Küche	**keinen** Herd	**kein** Handy
Dative	**keiner** Küche	**keinem** Herd	**keinem** Handy
Plural			
Nominative	**keine** Küchen/Herde/Handys		
Accusative	**keine** Küchen/Herde/Handys		
Dative	**keinen** Küchen/Herden/Handys		

Articles and pronouns

20 Personal pronouns

		Nominative	Accusative	Dative
Singular	1st person	ich	mich	mir
	2nd person	du	dich	dir
	3rd person	sie	sie	ihr
		er	ihn	ihm
		es	es	ihm
Plural	1st person	wir	uns	uns
	2nd person	ihr	euch	euch
	3rd person	sie	sie	ihnen
Formal address		Sie	Sie	Ihnen

Hallo, Nikos! Wir sind hier!
Hallo, ihr beiden! Wie geht es euch?
Danke, uns geht es gut!

21 Possessive articles

1. Forms

	as articles
ich	**mein** Fahrrad
du	**dein** Fahrrad
sie	**ihr** Fahrrad
er	**sein** Fahrrad
es	**sein** Fahrrad
wir	**unser** Fahrrad
ihr	**euer** Fahrrad
sie	**ihr** Fahrrad
Sie	**Ihr** Fahrrad

2. Declension of "mein"

Singular	Feminine	Masculine	Neuter
Nominative	mein**e** Tante	mein Onkel	mein Kind
Accusative	mein**e** Tante	mein**en** Onkel	mein Kind
Dative	mein**er** Tante	mein**em** Onkel	mein**em** Kind
Plural			
Nominative	mein**e** Tanten/Onkel/Kind**er**		
Accusative	mein**e** Tanten/Onkel/Kind**er**		
Dative	mein**en** Tante**n**/Onkel**n**/Kind**ern**		

Articles as pronouns

The definite and indefinite pronouns replace known names or nouns. They are declined like the article.
→ § 12

Der Tisch ist doch toll.   **Den** finde ich nicht so schön.
Wie findest du das Sofa?   **Das** ist zu teuer.
Schau mal, die Stühle!   _Ja,_ **die** _sind nicht schlecht._
Wir brauchen noch eine Stehlampe.   _Wie findest du denn_ **die** _da vorne?_

Wo finde ich Hefe?   _Tut mir leid, wir haben_ **keine** _mehr. Die kommt erst morgen wieder rein._
Hast du einen Computer?   _Ja, ich habe_ **einen.**
Hat Tom ein Fahrrad?   **!** _Ich glaube, er hat_ **eins.**
    ! _Nein, er hat_ **keins.**

Adjectives

§ 23 **Adjectives used predicatively**

Die Stühle sind **bequem.**
Den Teppich finde ich **langweilig.**
Ich finde die Film-Tipps **interesssant.**
Als Lökführer muss man **flexibel** _sein._

Der Sessel ist bequem!

The opposite			
groß ≠ klein	interessant ≠ langweilig	teuer ≠ billig	bequem ≠ unbequem

§ 24 **Declension of adjectives**

1. Adjective declension, step by step

Question 1: To which **group*** does the adjective belong?
Question 2: **Gender/number**: Is the noun masculine, feminine or neuter? Is it singular/plural?
Question 3: **Case**: Is the noun in the nominative, accusative or dative?

***Groups 1–3:**
1. Definite article + adjective + noun
2. Indefinite article + adjective + noun
3. No article + adjective + noun

Group 1: Definite article + adjective + noun

*Or: dieser, jener, mancher, welcher.
Plural: alle, beide, sämtliche

Singular:	Feminine	Masculine	Neuter
Nominative	die rote Rose	der blaue Schuh	das schöne Haus
Accusative	die rote Rose	den blauen Schuh	das schöne Haus
Dative	der roten Rose	dem blauen Schuh	dem schönen Haus

Plural:	Feminine	Masculine	Neuter
Nominative	die roten Rosen	die blauen Schuhe	die schönen Häuser
Accusative	die roten Rosen	die blauen Schuhe	die schönen Häuser
Dative	den roten Rosen	den blauen Schuhen	den schönen Häusern

Group 2: Indefinite article + adjective + noun

*Or: kein, mein, dein, sein, ihr, unser, euer, ihr (in the singular)

Singular:	Feminine	Masculine	Neuter
Nominative	(k)eine rote Rose	(k)ein blauer Schuh	(k)ein schönes Haus
Accusative	(k)eine rote Rose	(k)einen blauen Schuh	(k)ein schönes Haus
Dative	(k)einer roten Rose	(k)einem blauen Schuh	(k)einem schönen Haus

Plural:	Feminine	Masculine	Neuter
Nominative	rote Rosen	blaue Schuhe	schöne Häuser
Accusative	rote Rosen	blaue Schuhe	schöne Häuser
Dative	roten Rosen	blauen Schuhen	schönen Häusern

Group 3: no article + adjective + noun

*Or: einige, etliche, mehrere, zwei, drei etc.

Singular:	Feminine	Masculine	Neuter
Nominative	heiße Schokolade	frischer Fisch	warmes Wetter
Accusative	heiße Schokolade	frischen Fisch	warmes Wetter
Dative	heißer Schokolade	frischem Fisch	warmem Wetter

Plural:	Feminine / Masculine / Neuter
Nominative	schöne Ferien
Accusative	schöne Ferien
Dative	schönen Ferien

Comparison of adjectives

1. Formation of comparative forms

comparative of "alt"

Wussten Sie, dass die Menschen in Japan ⎡älter⎤ *werden als anderswo?*

Sie essen am ⎡gesündesten⎤.

superlative of "gesund"

Der Mann ist **alt.**   *Er ist* **älter als** *sein Bruder.*   *Er ist* **der älteste** *der drei Brüder.*
Er ist **am ältesten.**

2. Comparative and superlative forms

▶ In adjectives ending in -t, -d, -tz, -z, -sch, -ss an "e" is inserted before the ending:

	Positive ▶ gleich ... wie	Comparative ▶ ...-er + als	Superlative ▶ am + ...-sten
Regular forms, **e. g.**	schnell weiß dauerhaft bekannt normal	schneller weißer dauerhafter bekannter normaler	am schnellsten am weiß<u>e</u>sten am dauerhaft<u>e</u>sten am bekannt<u>e</u>sten am normalsten
Forms with **Umlaut, e. g.**	groß gesund lang alt	größer gesünder länger älter	am größten am gesünd<u>e</u>sten am längsten am ältesten
Irregular forms, **e. g.**	gut viel gern hoch nah	besser mehr lieber höher näher	am besten am meisten am liebsten am höchsten am nächsten

Adverbs

26 Indications of time, frequency and place

1. Indications of time (When? How long?)

heute	morgen	gestern	jetzt	lange	gleich	...

Hast du heute Zeit? – Nein, aber morgen.

2. Indications of frequency (How often?)

nie	selten	manchmal	oft	meistens	immer	fast nie	immer öfter	fast immer

3. Indicatons of place and direction

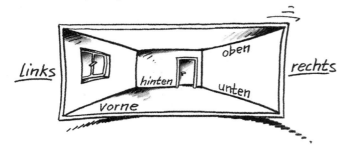

Wo finde ich den Kaffee?
Im nächsten Gang rechts oben.
Und die Milch finden Sie gleich hier vorne.
Wo finde ich hier Computer? – Im dritten Stock. Fragen
Sie dort einen Verkäufer.
Ich steige die Treppe hinauf.

Where? (Ich bin ...)	Where to? (Ich gehe ...)	Where from? (Ich komme ...)
links, hier links / **rechts**, hier rechts	**nach** links / **nach** rechts	**von** links / **von** rechts
oben, hier oben	nach oben, hinauf, herauf, hoch, aufwärts	von oben
unten, hier unten	nach unten, hinunter, herunter, runter, abwärts	von unten
hier (drüben / **dort** (drüben)	hierher, dorthin	von hier / von dort
vorne, hier vorne / **hinten**, dort hinten	nach vorne / nach hinten	von vorne / von hinten
überall	überall hin	von überall her
drinnen	hinein / herein	von drinnen
draußen	hinaus / heraus	von draußen
*Also der Picasso hängt **dort drüben**, **ganz links**.*	*Der Kellner geht **nach rechts** und dann **die Treppe hinunter**.*	*Ich komme gerade **von draußen**. Es ist eiskalt!*

§27 The most important prepositions

Prepositions + Dative	aus	bei	mit	nach
	von	seit	zu	ab

Und du, Bülent? – Ich komme **aus** *der* *Türkei.*

aus + Article in Dative (die Türkei → aus der Türkei)

Prepositions + Accusative	durch	für	ohne

Herzlichen Dank **für die** *Blumen! – Bitte, gern geschehen!*

für + Article in Accusative (die Blumen → für die Blumen)

Variable prepositions Where? = + Dative Where to? = + Accusative	an	auf	hinter	in	neben	über
		unter	vor	zwischen		
	Where to?			**Where?**		

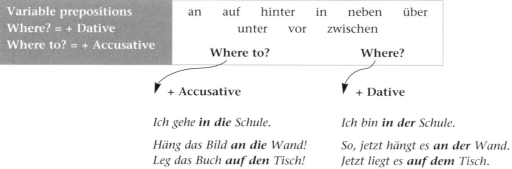

+ Accusative   **+ Dative**

Ich gehe **in die** *Schule.*   *Ich bin* **in der** *Schule.*

Häng das Bild **an die** *Wand!*   *So, jetzt hängt es* **an der** *Wand.*
Leg das Buch **auf den** *Tisch!*   *Jetzt liegt es* **auf dem** *Tisch.*

§28 Prepositions: Meaning

1. Prepositions: place and direction

Where from? ☐→	Where? ◉	Where to? →☐
aus + Dative / von + Dative	bei + Dative / in + Dative	nach + Dative / zu + Dative / in + Accusative
Ruth holt Anna **vom** Kindergarten ab. Bülent kommt **aus der** Türkei.	Sie ist Flugbegleiterin **bei der** Lufthansa. Kawena wohnt **in der** Schleißheimer Straße.	Martina fliegt oft **nach** Asien. Luisa möchte **zum** Mauermuseum. Er fährt **in die** Schweiz.

Variable prepositions

Answering the question **Wo** steht / ist …?: variable preposition + Dative
Answering the question **Wohin** geht / legt …?: variable preposition + Accusative

auf

über

unter

hinter

vor

zwischen

neben

an

in

*Otto geht **unter den** Teppich.*   *Jetzt ist Otto **unter dem** Teppich.*

2. Prepositions: time

am + day	Was möchtest du **am** Samstag machen?
am + date	Vera kommt **am** 12. Februar.
um + time of day	Der Film beginnt **um** 20 Uhr.
im + month	Julia hat **im** Juli Urlaub.
ab + date	Sie ist **ab (dem)** 24. August in Graz.
bis (zum) + date	Sie ist **bis (zum)** 31. August in Graz.
von … bis + days	Sie hat **von** Montag **bis** Mittwoch Proben.
von … bis + times of day	Wir haben **von** 9 **bis** 13.30 Uhr Unterricht.
seit + expression of time	Diana lernt **seit** sechs Monaten Deutsch.

3. Prepositions für / von / mit / ohne

für + Accusative  *Herzlichen Dank **für** die Blumen!*

von + Dative *Sie sind **von** mir.*

mit + Dative *Ich möchte **mit** dir ins Kino gehen.*

ohne + Accusative ***Ohne** dich will ich nicht leben.*

29 Prepositions – abbreviated forms

Preposition + article	Abbreviated form		Preposition + article	Abbreviated form
an + dem	am		in + das	ins
an + das	ans		von + dem	vom
bei + dem	beim		zu + der	zur
in + dem	im		zu + dem	zum

§30 und / oder / aber / trotzdem / deshalb

	+
Addition	Ich nehme ein Sandwich **und** ein Bier.
	Ich esse eine Pizza **und** Vera trinkt einen Apfelsaft.
Alternative	Nimmst du Kaffee **oder** Tee?
	Nimmst du Milch **oder** möchtest du lieber keine?
Contrast	Ich trinke Kaffee, **aber** ohne Zucker.
	Ich habe Geburtstag, **aber** niemand kommt.
	Ich trinke Kaffee. **Trotzdem** bin ich müde.
Reason	Wir haben gespart. **Deshalb** haben wir jetzt Geld.

§31 als / wenn / weil / obwohl / dass / ob

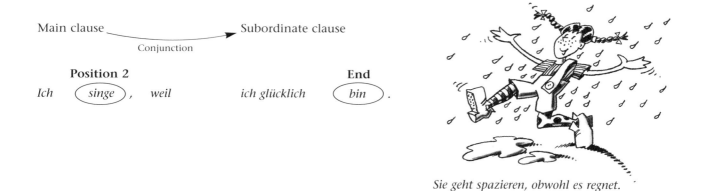

Main clause ⟶ Subordinate clause
Conjunction

Position 2 **End**
Ich (singe), weil ich glücklich (bin).

Sie geht spazieren, obwohl es regnet.

Time ● **Past:** *state* or *single event*	**Als** ich jung war, gab es noch keine E-Mails.
● **Past:** *repeated event*	**Wenn** wir jemandem geschrieben haben, mussten wir tagelang auf eine Antwort warten
● **Present** or **future**	**Wenn** ich heutzutage sofort eine Antwort will, schreibe ich ein E-Mail.
Condition	**Wenn** es regnet, dann gehen wir nicht spazieren.
Reason	Ich singe, **weil** ich glücklich bin.
Reason against	Viele junge Leute wohnen bei den Eltern, **obwohl** sie schon arbeiten.
Explanation / **Information**	Ich weiß, **dass** Zucker ungesund ist.
Indirect question (Verbal question) (W-question)	Weißt du, **ob** Peter schon zurück ist? Können Sie mir sagen, **wo** das Hotel liegt?

Modal particles

32 Modal particles: meaning

Modal particles give a sentence a subjective slant

(Ich finde, das ist nicht lange.)

Wir sind <u>erst</u> drei Jahre ver-heiratet.

(Ich finde, das ist sehr lange.)

Wir sind <u>schon</u> drei Jahre ver-heiratet.

---

making a request or advice friendlier

Geben Sie mir **doch mal** einen <u>Tipp</u>.
Geh **doch** in einen Ve<u>rein</u>!
Kommen Sie **bitte** <u>mit</u>.

making stronger/weaker

Na ja, die Wohnung ist **ganz** <u>okay</u>.
Die Wohnung ist **sehr** schön.
Schau mal, das Sofa ist **doch** <u>toll</u>!

imprecise information

Also, ich komme **so um** <u>zehn</u> Uhr.
95 % Die Reise kostet **ungefähr** 2000 <u>Euro</u>.
Fast <u>alle</u> haben hier einen Fernseher.
Über die Hälfte hat eine <u>Mikrowelle</u>.
Ich bin **etwa** <u>zwei Jahre</u> verheiratet.
Ich komme **etwas** <u>später</u>.
Er spricht **ein wenig** <u>Deutsch</u>.

making questions friendlier

Hast du **vielleicht** auch <u>Tee</u>?
Gebt ihr mir **mal** eine Schachtel <u>Zigaretten</u>?

showing interest

Wie alt <u>sind</u> **denn** ihre Kinder?
Wie <u>geht's</u> Ihnen **denn**?
Ist die Wohnung **denn auch** <u>günstig</u>?

showing surprise

Oh, das ist **aber** <u>nett</u> von dir!
Nein, <u>wirklich</u>?
Aber das ist **doch** nicht <u>möglich</u>!

making negatives friendlier

Das ist **doch** <u>altmodisch</u>.   Ich finde es nicht toll.
Ich finde das Sofa **nicht so** <u>schön</u>.
Es ist mir **zu** <u>langweilig</u>.
Wenigstens ist es nicht so <u>teuer</u>.
Eigentlich komme ich aus <u>Rostock</u>, aber ...

Numbers

§ 33 Cardinal numbers

0 to 99

0	null	10	zehn	20	zwanzig	30	dreißig
1	eins	11	elf	21	einundzwanzig	31	einunddreißig
2	zwei	12	zwölf	22	zweiundzwanzig	32	zweiunddreißig
3	drei	13	dreizehn	23	dreiundzwanzig		...
4	vier	14	vierzehn	24	vierundzwanzig	40	vierzig
5	fünf	15	fünfzehn	25	fünfundzwanzig	50	fünfzig
6	sechs	16	sechzehn	26	sechsundzwanzig	60	sechzig
7	sieben	17	siebzehn	27	siebenundzwanzig	70	siebzig
8	acht	18	achtzehn	28	achtundzwanzig	80	achtzig
9	neun	19	neunzehn	29	neunundzwanzig	90	neunzig

from 100

100	(ein)hundert	110	hundertzehn	1000	(ein)tausend
101	hunderteins		...	1001	tausend(und)eins
102	hundertzwei	200	zweihundert	1010	tausendzehn
103	hundertdrei	300	dreihundert	1120	tausendeinhundertzwanzig
104	hundertvier	400	vierhundert	1490	tausendvierhundertneunzig
105	hundertfünf	500	fünfhundert	5000	fünftausend
106	hundertsechs	600	sechshundert	10 000	zehntausend
107	hundertsieben	700	siebenhundert	100 000	hunderttausend
108	hundertacht	800	achthundert	1 000 000	eine Million
109	hundertneun	900	neunhundert	1 000 000 000	eine Milliarde

Numbers from 13 to 99 are read from right to left. *Example:*

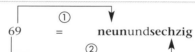

69 = neunundsechzig

§ 34 Ordinal numbers

die / der / das ...

1.	**erste**	7.	**siebte**	13.	dreizehnte
2.	zweite	8.	**achte**		...
3.	**dritte**	9.	neunte	20.	zwanzigste
4.	vierte	10.	zehnte	21.	einundzwanzigste
5.	fünfte	11.	elfte	100.	hundertste
6.	sechste	12.	zwölfte	1000.	tausendste

Ordinal numbers are formed as follows:

up to 19.:	cardinal number + ending „-te"
from 20.:	cardinal number + ending „-ste"

35 Expressions of number

Eine Banane, bitte.

ein / eine	*Eine Banane, bitte.*
viel	*1000 Euro sind viel Geld.*
wenig	*10 Euro sind wenig Geld.*
einmal / zweimal	*Ich gehe zweimal im Monat ins Kino.*

1. Years

Years up to 1099 and from 2000 are spoken as cardinal numbers.

813 → 8 hundert 13   2010 → 2 tausend 10

Years between 1100 and 1999 are not spoken as cardinal numbers, instead the hundreds are counted.

1492 → 14 hundert 92   1999 → 19 hundert 99

Years are stated without the preposition „**in**".
      Herr Haufiku ist 1969 geboren.
But: **Im Jahr** 1997 ist er nach Deutschland gekommen.

2. Decimals

Decimals are written with a comma and
pronounced as follows:
3,5 → drei Komma fünf
3,52 → drei Komma fünf zwei

3. Percentages

Percentages are spoken as follows:
35 %   → fünfunddreißig Prozent
3,5 %   → drei Komma fünf Prozent
3,52 %   → drei Komma fünf zwei Prozent

4. Fractions

$\frac{1}{2}$ → die Hälfte
$\frac{1}{3}$, $\frac{2}{3}$ → ein Drittel, zwei Drittel
$\frac{1}{4}$, $\frac{3}{4}$ → ein Viertel, drei Viertel

5. Prices

Prices are spoken as follows:
  9,35 € → Neun Euro fünfunddreißig
825,99 € → Achthundertfünfundzwanzig
                Euro neunundneunzig

	Time	colloquial form
	10.00 Uhr	(genau) zehn
	10.05 Uhr	fünf nach zehn
	10.10 Uhr	zehn nach zehn
	10.15 Uhr	Viertel nach zehn
	10.20 Uhr	zwanzig nach zehn
	10.25 Uhr	fünf vor halb elf
	10.30 Uhr	halb elf
	10.35 Uhr	fünf nach halb elf
	10.40 Uhr	zwanzig vor elf
	10.45 Uhr	Viertel vor elf
	10.50 Uhr	zehn vor elf
	10.55 Uhr	fünf vor elf
	11.00 Uhr	(genau) elf

Wie spät ist es, bitte?

Es ist fünf nach zehn.

Wann beginnt das Fest?

Es beginnt um halb elf.

Ui! Schon zehn vor elf!

Date	Heute ist …	Ich komme …
1. 1.	**der** erste Januar	**am** ersten Januar
2. 2.	**der** zweite Februar	**am** zweiten Februar
3. 3.	**der** dritte März	**am** dritten März
4. 4.	**der** vierte April	**am** vierten April
5. 5.	**der** fünfte Mai	**am** fünften Mai
6. 6.	**der** sechste Juni	**am** sechsten Juni
7. 7.	**der** siebte Juli	**am** siebten Juli
8. 8.	**der** achte August	**am** achten August
9. 9.	**der** neunte September	**am** neunten September
10. 10.	**der** zehnte Oktober	**am** zehnten Oktober
11. 11.	**der** elfte November	**am** elften November
12. 12.	**der** zwölfte Dezember	**am** zwölften Dezember

Mein Geburtstag ist am sechsten Januar und heute ist erst der dritte. Noch dreimal schlafen also …

Word formation

37 Compounds

Noun + noun	Adjective + noun	Verb + noun
die Kleider (plural) + der Schrank → **der** Kl<u>ei</u>der**schrank**	hoch + das Bett → **das** H<u>o</u>ch**bett**	schreiben + der Tisch → **der** Schr<u>ei</u>b**tisch**
die Wolle + der Teppich → **der** W<u>o</u>ll**teppich**	spät + die Vorstellung → **die** Sp<u>ä</u>t**vorstellung**	stehen + die Lampe → **die** St<u>e</u>h**lampe**

The basic word comes last and determines the article.   *der Schrank – **der** Kleider**schrank***

The defining word (at the beginning) takes the word stress.   *der Kl**ei**derschrank*

Some compounds require an "s" between the two elements.   *der Geburt<u>s</u>tag, das Lieblings<u>e</u>ssen*

38 Prefixes and suffixes

1. Word formation with suffixes

-isch for languages:
*England – Engl**isch**, Indonesien – Indones**isch**, Japan – Japan**isch**, Portugal – Portugies**isch***

-in for female professions and nationalities:
*der Arzt – die Ärzt**in**, der Pilot – die Pilot**in**, der Kunde – die Kund**in** ...*
*der Spanier – die Spanier**in**, der Japaner – die Japaner**in**, der Portugiese – die Portugies**in***

-isch / -ig for adjectives:
*prakt**isch**, richt**ig**, günst**ig***

-keit / -ung / -ion for nouns:
*die Sehenswürdig**keit**, die Möglich**keit**, die Erfahr**ung**, die Veranstalt**ung**, die Informat**ion***

2. Word formation with prefixes

un- as a negation of adjectives:
*praktisch   –   **un**praktisch   ≈ nicht praktisch*
*bequem   –   **un**bequem   ≈ nicht bequem*

Many adjectives are negated with **nicht**, e.g. *nicht teuer, nicht billig, nicht viel ...*

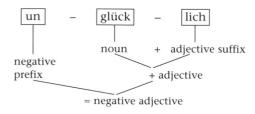

III Sentences

§39 Statements

In a statement the verb is in Position 2.

Position 1	Position 2	
Das Sofa	*finde*	*ich* toll. NOM
Ich NOM	*kaufe*	*doch kein Sofa für 999 Euro!*
Heute	*kaufe*	*ich* euch kein Eis. NOM
Andrea und Petra NOM	*arbeiten*	*auch bei TransFair.*

▶ There are also short sentences with no subject or verb: *Woher kommst du? – **Aus Australien.***
*Was möchten Sie trinken? – **Einen Apfelsaft, bitte.***

§40 Questions

There are   **w questions** (W-Fragen)
Woher kommst du?
– Aus ...

and   **yes/no questions** (Ja/Nein-Fragen)
Kommst du aus Italien?
– Ja (, aus Rom).
Nein, aus Spanien.

! In questions the verb is in Positions 1 or 2.

Position 1	Position 2		
Woher	*kommst*	*du?* NOM	**w question**
Kommst	*du* NOM	*aus Australien?*	**yes/no question**

§41 Indirect questions

With an indirect question we can make a question more polite or repeat a question. The original question is wrapped up in a subordinate clause, which begins with the W-question word or with "ob".

! Main clause + Indirect question → Verb at the end

W-question: Wo ist der Bahnhof?

*Können Sie mir sagen, **wo** der Bahnhof (ist)?*

W-question with preposition: Auf welchem Gleis fährt der Zug ein?

*Weißt du, **auf welchem** Gleis der Zug (abfährt)?*

Verb question: Ist der Zug schon abgefahren?

***Ob** der Zug schon abgefahren (ist)? Keine Ahnung!*

2 Imperatives

! In imperatives the verb takes Position 1.

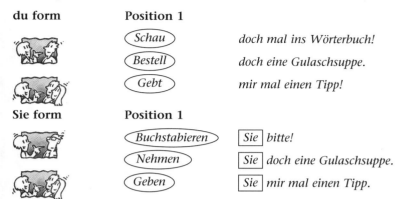

du form	Position 1	
	Schau	*doch mal ins Wörterbuch!*
	Bestell	*doch eine Gulaschsuppe.*
	Gebt	*mir mal einen Tipp!*

Sie form	Position 1		
	Buchstabieren	Sie	*bitte!*
	Nehmen	Sie	*doch eine Gulaschsuppe.*
	Geben	Sie	*mir mal einen Tipp.*

The words **doch**, **mal** or **bitte** make imperatives more polite.

3 Sentence components

Subject (NOM complement)	+	1st verb	+	complement
Die Kinder NOM	+	*schlafen.* NOM		
Ich NOM	+	*möchte* NOM ACC	+	*einen Orangensaft,* *bitte.* ACC
Frau Jünger NOM	+	*kauft* NOM DAT ACC	+	*Tanja* *Gummibärchen* . DAT ACC

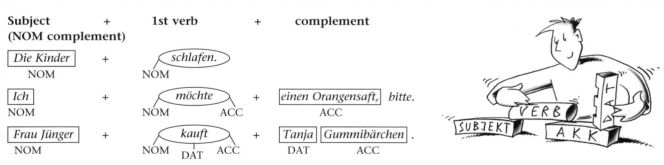

| Main clause | *Andrea **bestellt** einen Salat.* | The verb is in Position 2. |

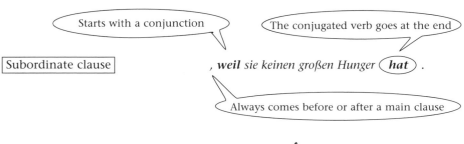

Starts with a conjunction   The conjugated verb goes at the end

| Subordinate clause | *, **weil** sie keinen großen Hunger (hat) .* |

Always comes before or after a main clause

We can combine clauses

| Main clause + main clause |

Roman bestellt eine Suppe.   *Andrea bestellt einen Salat.*

Roman bestellt eine Suppe **und** *Andrea bestellt einen Salat.*

Sie lebt in San Francisco. Sie lebt in Irland.

Sie lebt in San Francisco **oder** *(sie lebt) in Irland.*

Er kommt nicht oft zum Unterricht. Er hat gute Noten.

Er kommt nicht oft zum Unterricht, **aber** *er hat gute Noten.*

Er kommt nicht oft zum Unterricht. **Trotzdem** *hat er gute Noten.*

Sie kommt immer zum Unterricht. **Deshalb** *spricht sie schon sehr gut Deutsch.*

| Main clause + subordinate clause |

Andrea bestellt einen Salat.   *Sie hat keinen großen Hun...*

Andrea bestellt einen Salat, **weil** *sie keinen großen Hunger ...*

Sie bleiben im Elternhaus.   *Sie haben genug Geld f... eine eigene Wohnung.*

Sie bleiben im Elternhaus, **obwohl** *sie genug Geld für eine e... ne Wohnung haben.*

Komm mich doch mal besuchen.   *Wenn du Zeit has...*

Komm mich doch mal besuchen, **wenn** *du Zeit hast.*

Ich war 17.   *Ich hatte sehr oft Streit mit meinen Eltern.*

Als *ich 17 war, hatte ich sehr oft Streit mit meinen Eltern.*

Es ist wichtig, **dass** *Eltern und Kinder über alles reden könn...*

Ich weiß nicht, **ob** *wir unsere Traumwohnung bekommen.*

Wir möchten vom Makler wissen, **wann** *wir die Wohnung haben können.*

Communication

Kommst du mit mir ins Kino?

making a date
Wollen wir zusammen ...?
Kommst du mit mir ...?
Möchten Sie vielleicht heute ...?
Wann treffen wir uns?
Vielleicht so gegen acht?

accepting	declining
Ja, gerne!	Eigentlich gerne, aber...
O.k., gerne!	Nein, tut mir leid, ich kann nicht.
Prima, ich komme!	Nein, das ist mir zu früh / zu spät.
Gute Idee! Einverstanden!	Nein, lieber ein anderes Mal.

Hallo, hier spricht Yoshimoto.

Kann ich bitte Frau Yoshimoto sprechen?

Oh, das tut mir leid. Sie ist in den Ferien. Kann ich was ausrichten?

Danke nein, wann ist sie wieder da?

Nächsten Montag.

Gut, dann rufe ich wieder an.

asking for someone on the phone	saying whether s/he can come to the phone
Kann ich bitte mit Frau Rot sprechen? Bitte verbinden Sie mich mit Frau Rot. Können Sie mich mit Frau Rot verbinden? Ich möchte mit Herrn Rot sprechen, bitte.	+ Ja, Moment bitte. Augenblick bitte, ich verbinde Sie.
	? Ich werde nachsehen, ob er / sie hier ist. Moment, bitte.
	– Tut mir leid, Frau Rot ist heute nicht da. Kann ich ihr etwas ausrichten?

3 Gibt's hier in der Nähe einen Kiosk?

Asking the way	
Entschuldigung ...	Wo ist ...? Wie komme ich zum Bahnhof? Wissen Sie, wo die Stadtkirche ist? Wie finde ich das Hotel Bristol? Gibt es hier in der Nähe einen Kiosk?

Entschuldigung, wie komme ich zum Bahnhof?

Describing the way
Der Bahnhof? Der ist gleich da vorne. Gehen Sie ... Die zweite Straße rechts. Dort finden Sie ... / Dort sehen Sie ...

 geradeaus

 den Fluss entlang (ACC)

 nach rechts
nach links

 über die Straße /
Brücke / den Platz
(ACC)

 bis zur ... Straße /
bis zum Bahnhof
(DAT)

 durch das Tor /
die ... Gasse (ACC)

 gegenüber
von (DAT)

 an (DAT) ... vorbei

Haben Sie ein Zimmer frei?

Reserving a room	Giving the date/number of guests
Guten Tag, ich brauche ein Doppelzimmer. ein Einzelzimmer.	Vom 12. bis 15. August, also drei Nächte.
Guten Tag, ist bei Ihnen noch etwas frei?	Für das nächste Wochenende.
Was kostet das Zimmer?	Für heute Nacht.
Haben Sie Vollpension / Halbpension?	Wir sind zwei Erwachsene und ein Kind.
Sind Sie in der Nähe des Bahnhofs?	

Checking in	Checking out
Guten Tag, wir haben reserviert.	So, wir reisen heute ab.
Mein Name ist ...	Ich möchte bitte bezahlen.
Entschuldigung, haben Sie einen Weckdienst?	Hier ist unser Schlüssel.
Könnten Sie uns bitte morgen um 7 wecken?	Ich bezahle bar / mit Kreditkarte.

5 Was meinst du dazu?

Asking someone's opinion

Glaubst du / glauben Sie, dass ...
Was hältst du / halten Sie von ...
Was denkst du / denken Sie über ...
Wie findest du / finden Sie ...
Was meinst du / meinen Sie denn dazu?

Agreeing

(Ja,) das finde / glaube ich auch.
(Ja,) das sehe ich auch so.
Da hast du / haben Sie recht.
Genau!
Das stimmt.

Responding / gently disagreeing

Glaubst du wirklich?
Bist du / Sind Sie da wirklich sicher?
Vielleicht haben Sie recht, aber ...
Kann sein, aber ...
Das kommt darauf an.

Giving your own opinion

Ich glaube / finde, dass ...
Ich denke / meine, dass ...
Meiner Meinung nach ...

Es ist doch ganz klar, dass ...
Ich bin ganz sicher, dass ...
Ich bin fest davon überzeugt, dass ...

Expressing uncertainty

Ich weiß nicht ...
Ich bin mir nicht sicher ...
Ich vermute ...
Das ist schwer zu beurteilen.
Das ist schwer zu sagen.
Ich würde sagen ...

Strongly disagreeing

(Nein,) das finde ich nicht.
(Ich glaube,) das siehst du / sehen
Sie nicht richtig.
Das stimmt (aber / doch) nicht!
Ganz im Gegenteil!
Ich bin nicht dieser Meinung!

Gute Besserung!

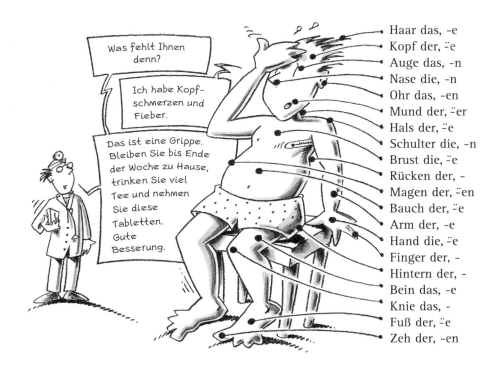

Was fehlt Ihnen denn?

Ich habe Kopfschmerzen und Fieber.

Das ist eine Grippe. Bleiben Sie bis Ende der Woche zu Hause, trinken Sie viel Tee und nehmen Sie diese Tabletten. Gute Besserung.

Haar das, -e
Kopf der, ⸚e
Auge das, -n
Nase die, -n
Ohr das, -en
Mund der, ⸚er
Hals der, ⸚e
Schulter die, -n
Brust die, ⸚e
Rücken der, -
Magen der, ⸚en
Bauch der, ⸚e
Arm der, -e
Hand die, ⸚e
Finger der, -
Hintern der, -
Bein das, -e
Knie das, -
Fuß der, ⸚e
Zeh der, -en

Asking someone how they are	Saying how you yourself are
Was fehlt dir / Ihnen denn? Was hast du / haben Sie denn? Sie sehen nicht gut aus. Sind Sie krank? Hast du / Haben Sie Schmerzen?	Ich bin in letzter Zeit so müde. Der / das / die ... tut mir so weh. Ich habe starke Rücken- / Kopf- / Bauch...schmerzen. Ich kann nicht gut schlafen. Ich glaube, ich habe Fieber.